D1222549

LES LUNES DE MIR ALI

Fatima Bhutto

LES LUNES DE MIR ALI

Traduit de l'anglais (Pakistan)
par Sophie Bastide-Foltz

LES ESCALES

Titre original : *The Shadow of the Crescent Moon.*

Première publication en Grande-Bretagne et en langue anglaise par Penguin Books Ltd.

Édition française publiée par :

12, avenue d'Italie
75013 Paris – France
Courriel : contact@lesescales.fr
Internet : www.lesescales.fr

ISBN : 978-2-36569-064-5
Dépôt légal : février 2014
Imprimé en France

Direction éditoriale : Véronique Cardi
Secrétariat d'édition : Zoé Niewdanski
Correction : Josiane Attucci-Jan et Virginie Manchado
Mise en page : Nord Compo
Couverture : Hokus Pokus créations
Traduction : Sophie Bastide-Foltz

Pour Baba
avec tout mon amour

Pour Baba
mon âme

« Mon pays
Je n'ai plus de ces bérets qu'on fait chez nous
Ni de chaussures pour parcourir tes chemins
Il y a longtemps que j'ai usé ta dernière chemise
Tissée en coton de Sile
Tu n'existes plus que dans la blancheur de mes cheveux
Inchangé dans mon cœur
Tu n'existes plus que dans la blancheur de mes cheveux
Sur les lignes de mon front
Mon pays. »

Nazim HIKMET

Prologue

Déjà 8 h 30 dans une maison blanche de la rue Sher-Hakimullah.

Le bazar ouvre peu à peu, plus tôt pour l'Aïd, afin de faciliter la vie des acheteurs de dernière minute. Une petite pluie tombe sur les trottoirs poussiéreux, tout doucement, comme pour ne pas déranger les boutiquiers qui lèvent leurs rideaux métalliques. Les nuages sont bas sur Mir Ali et, avec le brouillard, au loin, on a l'impression que les tanks ne sont pas là. Sur les toits des bâtiments de la ville, des snipers se terrent dans leurs nids, entourés de sacs de sable, un poncho militaire imperméable froid et lourd sur les épaules, attendant que la journée commence.

Trois frères vivent sous le même toit – un toit qu'ils partagent avec leur mère, veuve, laquelle occupe une seule pièce du rez-de-chaussée. Elle vit dans une petite chambre toute simple, en compagnie d'une jeune servante qui lui administre ses médicaments et ses remontants homéopathiques, et lui natte ses longs cheveux blancs chaque matin.

Deux des frères occupent une autre partie du rez-de-chaussée, à côté de la cuisine familiale et d'un petit salon. À l'étage, le troisième frère et sa famille vivent dans le plus grand désordre, avec des téléphones portables qui tiennent lieu de réveille-matin et de vieux tuyaux rongés qui gouttent sur la tête de ceux qui ont oublié de placer un baquet en dessous la veille au soir. Une petite batte de cricket est appuyée contre un des murs de la chambre, à côté d'une boîte de cubes en plastique.

Des serviettes mouillées et des tapis de bain humides traînent partout dans la salle de bains. Le sol est jonché de chaussettes ayant trempé par inadvertance dans de l'eau savonneuse. Des chaussures boueuses passées sur le carrelage humide ont laissé des traces sombres d'une pièce à l'autre.

Les vendredis sont toujours chaotiques dans la maison de la rue Sher-Hakimullah, et ce matin, en particulier, il a fallu prendre des décisions difficiles. Les frères ne peuvent pas aller – n'iront pas – prier ensemble pour l'Aïd, a-t-il été décidé après plusieurs jours de délibération.

Dans la ville de Mir Ali, où la religion progressait sur son sol de rocailles comme ces fleurs sauvages qui poussent aux endroits les plus improbables, on choisissait soigneusement sa mosquée. Le vendredi n'était plus tant le jour des fidèles que l'occasion pour les gardiens de la religion la plus limpide du monde de leur transmettre leur message. À Mir Ali, désormais, on n'avait que l'embarras du choix.

Il y avait les congrégations mesurées, où le mollah invoquait l'harmonie et la bonté parmi les hommes. Ces mosquées-là ne gardaient pas longtemps leurs ouailles, juste le temps de leur rappeler leurs obligations de peuple élu. Ils pouvaient dispenser des conseils élémentaires dans ce domaine, mais c'était essentiellement du service rapide.

Il y avait les mosquées *jumma namaz*, spécialistes des diatribes centrées sur des questions de politique étrangère – avec des théories cinglantes dirigées contre les grands satans et les petits hommes qui faisaient dans la surenchère. Ces mosquées aspiraient à convertir de nombreux fidèles à leur cause, mais elles les perdaient à Mir Ali, où les gens préféraient fréquenter les maisons de Dieu qui avaient enseigné la justice à leurs pères et grands-pères. Il n'y avait pas plus grande cause que la justice à Mir Ali.

L'un après l'autre, les frères se glissent dans la cuisine pour y prendre leur thé du matin. Des oignons blancs grésillent dans une poêle à frire, exsudant sous l'effet de la chaleur. Les frères prennent place à la petite table recouverte d'une nappe en plastique poisseuse, sur laquelle le premier repas de la journée va leur être servi – des *parathas* sucrés et une omelette aux tomates, aux oignons et aux piments coupés en dés. Dans l'air flotte l'odeur âcre et douceâtre du poivre moulu sur les oignons hachés. Les trois frères prennent leur thé à peine sucré, mais le vieux cuisinier, qui fait infuser les feuilles dans une casserole noircie avec du lait de chèvre frais, n'en tient aucun compte et y jette du sucre blanc raffiné à pleines poignées.

En ce premier jour de l'Aïd, à la table du petit déjeuner, les frères se parlent en chuchotant d'une voix pleine de mystère. Tête baissée, ils n'échangent pas comme d'habitude, entrecoupant leurs propos de sourires muets et de plaisanteries qui leur viennent spontanément à la bouche. Ce matin, peu de taquineries et pas de discussions animées ; on ne parle que de la façon dont on va passer la journée qui commence.

Il serait trop dangereux, trop risqué que toute la famille se retrouve dans une seule et même mosquée qui pourrait être la cible de... De qui, ils ne le savent plus.

— D'adolescents saoudiens archidrogués, formés pour l'extermination des chiites, hasarde Aman Erum, l'aîné des frères.

— Non, il n'y a pas que les Saoudiens, proteste Sikandar, celui du milieu, cherchant des yeux sa femme dans la cuisine. Parfois, c'est politique, pas religieux.

Elle n'est visible nulle part. Il avale péniblement son thé trop sucré.

— Oui, c'est vrai, ce sont parfois des adolescents qui viennent d'Afghanistan. Mais quand même toujours des sunnites, plaisante Aman Erum, enfournant un *paratha* dans sa bouche avant de se lever pour partir.

— Où vas-tu ? lui crie Sikandar. On mange, là, reviens.

Il remarque, tout en parlant, que Hayat, leur plus jeune frère, n'a pratiquement pas levé les yeux du motif à carreaux bleus et verts de la nappe en plastique.

Aman Erum explique qu'il doit faire un saut au bureau avant que la ville ne cesse toute activité pour les prières du vendredi. Il demande à Sikandar de ne pas oublier de transmettre sa carte de visite professionnelle, qu'il vient juste de se faire faire, à un collègue de l'hôpital.

— *Kha*, oui, dit Sikandar en glissant dans son portefeuille l'impeccable petit rectangle « import/export » rouge et blanc.

— Attends, quelle mosquée ? demande Aman Erum en se retournant, la bouche pleine de pâte feuilletée beurrée.

— Va à la *jumat* de la rue Hussain-Kamal, répond Hayat, relevant la tête.

Sikandar regarde les yeux de son frère, ils sont injectés de sang. Hayat a décidé de l'endroit où chacun des frères va aller prier ce matin. Il n'a encore pratiquement rien dit, c'est la première fois qu'il sort de son silence.

— Tu le sais, ajoute-t-il avec brusquerie à l'intention d'Aman Erum.

Aman Erum ne regarde pas Hayat.

— Oui, oui, marmonne-t-il, tournant le dos à son frère. Je sais.

Le *paratha* mâché puis avalé, il lève une main en signe d'au revoir et le bavardage des frères cesse un instant, le temps que chacun se fasse à l'idée de devoir aller prier seul, sans la compagnie des autres, pour la première fois.

Puis les conversations reprennent, doucement, et les deux frères restants se lèvent pour accueillir leur vieille mère. Zainab parcourt la cuisine du regard en s'asseyant à table.

— Où est Mina ? demande-t-elle à Sikandar, tandis que les deux frères se bousculent pour aller se resservir une tasse de chai avant de partir vivre cette journée, chacun de leur côté, dans Mir Ali.

9 heures

1

Assis à l'arrière d'un taxi jaune, Aman Erum demande à être conduit rue Pir-Roshan. Le vieux chauffeur de taxi se retourne sur son siège au tissu déchiré au dos, laissant apparaître une mousse d'un jaune sale.

— Ce n'est pas l'adresse que vous m'avez donnée au téléphone, dit-il dans l'espoir de renégocier le tarif.

Un ressort lui rentre dans le dos. Aman Erum se pousse un peu pour être plus confortablement installé sur le siège éventré.

— Allez, démarrez.

Les vitres du taxi sont toutes baissées, mais Aman Erum sent quelque chose qui le dérange. Quoi, exactement, il ne sait pas. Il regarde les rétroviseurs de chaque côté, qui ne tiennent que grâce à de la toile adhésive. Ce ne sont pas les ceintures de sécurité, qui ne servent plus à grand-chose d'ailleurs. Aman Erum essaye d'ouvrir un peu plus la fenêtre, mais elle est bloquée. Ils passent devant des murs couverts de graffitis rouges et noirs, des slogans politiques tracés à la main en grosses lettres. Des bandes de quatre ou cinq jeunes gens, la tête enveloppée d'un foulard pour se protéger des nuits d'hiver, ont peint ce qui restait de murs non gardés par les militaires à Mir Ali. « *Azadi* », avaient-ils écrit : Liberté.

Plusieurs mois ont passé depuis qu'Aman Erum est rentré au pays, après un long séjour à l'étranger. Il n'aurait jamais pensé revenir.

Son enfance à Mir Ali, comparée à celle de ses frères, a été idyllique. En tant que fils aîné, il accompagnait tous les vendredis son père Inayat à la mosquée pour y retrouver parents et amis, après la fermeture de la boutique de tapis que possédait la famille. Et, chaque été, il était le cinquième membre de la petite expédition qui partait pêcher dans le district de Chitral.

À la fin de l'hiver et durant les mois de printemps, Aman Erum restait longtemps éveillé dans son lit la nuit, tout excité à l'idée de ce voyage. Son père et ses trois amis, qui avaient tous grandi à proximité les uns des autres et dont les familles avaient tissé des liens par le mariage, partaient ensemble dans le Chitral depuis aussi longtemps qu'Aman Erum pouvait se le rappeler. Il était encore petit garçon la première fois que son père l'avait emmené. Leurs relations étaient tellement simples à l'époque.

Aman Erum chargeait un pick-up bleu clair de provisions suffisantes pour cinq jours de campement à cinq : des bonbonnes de gaz, des bâches goudronnées, lesquelles serviraient à monter la grande tente qui abriterait les pêcheurs, du beurre, du riz, de la vaisselle et des casseroles, ainsi que des lentilles et des légumes enveloppés dans de simples sacs en plastique rose.

Aman Erum vivait dans l'attente de ces journées d'été. Lorsqu'il était là-bas, les pieds dans l'eau froide de la rivière du Chitral, ou qu'il regardait sa morve sortir aussi noire que du charbon à force de respirer les fumées des lampes à gaz et des feux de bois, il ne voulait plus rentrer.

Plus tard, il se revoyait se débarrassant de ce mucus bizarrement coloré dans de fins mouchoirs en papier et jouant aux cartes jusque tard dans la nuit.

Et puis, à l'âge de onze ans, au cours d'un été où la pêche avait été particulièrement abondante, Aman Erum était tombé amoureux.

Elle avait douze ans, et il n'avait jamais vu pareille beauté. Samarra.

Il ne l'avait pas remarquée jusqu'au moment où elle avait couru devant lui et levé le bras pour envoyer dans le guichet la balle de cricket, éliminant Aman Erum d'une partie dans laquelle il ne savait même pas qu'elle était engagée.

Elle portait des jeans, jouait au cricket, montait à cheval, tirait au pistolet à plomb et faisait absolument tout ce qu'elle voyait son père faire, tout. Lorsque Ghazan Afridi ramena une moto de 150 cm^3 à la maison, sans dire grand-chose de sa provenance, sauf qu'elle était de fabrication chinoise et entrée en contrebande par Kaboul, Samarra apprit à la piloter, reléguant son père sur le siège arrière pendant qu'elle fonçait à toute allure dans la circulation, prenant les virages d'un léger mouvement du bassin. Quand Ghazan Afridi allait pêcher la truite brune dans les cours d'eau glacés des vallées du Nord, Samarra tenait le poisson tacheté avec deux doigts crochetés dans sa bouche et le regardait fouetter l'air contre les rochers, les ouïes battantes. Samarra ne se plaignait jamais, elle était résistante à la douleur et idolâtrait son père. Lorsque celui-ci rapporta chez lui des fusils d'assaut, avec garde-mains en bois et crosse de pistolet, Samarra s'assit par terre, ses longues jambes duveteuses pas encore épilées repliées sous elle, et se mit à les démonter tranquillement en compagnie de son père.

Pendant cinq jours, au pied du sommet le plus élevé de l'Hindou Kouch, Samarra Afridi était tout à Aman Erum. Vers minuit, ils se glissaient hors de la tente de leurs pères pour suivre des étrangers – des jeunes gens grands, bronzés, aux cheveux blonds emmêlés cachés sous des *pakols*[1] chitrali tout neufs – dans le souk local qui sentait le charbon de bois et restaient avec eux jusqu'au petit matin. Une nuit, alors qu'ils marchaient le long de la rivière Kunar, Aman Erum, qui ne voyait pas bien le sentier par un clair de lune trop pâle, glissa et se blessa la main sur les rochers de la berge. Samarra la lui prit dans les siennes et fit sortir le sang, le mauvais sang qui infecterait tout son corps si on n'y prenait pas garde. Puis elle plongea la main de son ami dans la rivière tumultueuse pour la refroidir et stopper le saignement. Avant l'aube, avant qu'ils soient obligés de revenir se glisser sous la tente de leurs pères, Aman Erum et Samarra rampaient sur les mains et les genoux le long de sentiers moussus, déterrant des vers de terre pour les sorties matinales des pêcheurs.

Ghazan Afridi emmenait les hommes avec lui en balade et revenait avec des lapins et des petits oiseaux qu'ils dépouillaient et plumaient, puis faisaient griller pour le dîner. Il essaya d'apprendre à Samarra à faire la cuisine mais elle n'y prit aucun goût. Ghazan Afridi ne savait pas cuisiner, lui non plus, mais ne se laissait pas arrêter par ce détail.

Quand ils revinrent à Mir Ali, abandonnant les feux de camp estivaux, faits de brindilles cassées qu'on

1. Bérets traditionnels. *(Toutes les notes sont de la traductrice.)*

enflammait avec le briquet en plastique bon marché de Samarra, Aman Erum s'imagina qu'il allait la perdre au profit de sa bande d'amis du voisinage, eux-mêmes admirateurs fervents. Il avait remarqué ces enfants sur leurs vélos qui, à peine sortis de l'école et toujours en uniforme, tournaient autour de la maison de Samarra. Mais elle les laissa à leurs vélos et, de sa fenêtre, Aman Erum la vit se diriger vers sa maison à lui.

Elle ne se retourna pas une seule fois sur ceux qui l'appelaient, lui criant de rester avec eux. Elle traversa l'allée de graviers, la tête haute, tendant le cou pour voir si c'était bien Aman Erum qu'elle avait aperçu à la fenêtre. Lorsque Samarra le vit, elle sourit, mais au lieu de le saluer, elle accéléra, chassant les cailloux du chemin à chaque pas.

Elle était devant sa porte, à présent, paumes appuyées sur le grillage en métal tressé, attendant d'être invitée à entrer. Aman Erum posa ses livres.

— *Salam.*

Il ne sut trop que dire. Samarra était la première personne à lui rendre visite.

Quand, la nuit tombant sur l'ombre des pins, Ghazan Afridi sortit dans la rue pour demander à sa fille de rentrer, il ne trouva qu'une petite bande d'écoliers dont aucun n'avait les cheveux en désordre ni les bras filiformes de sa fille.

Le taxi fait des embardées sur les ralentisseurs construits à la hâte sur des routes à peine finies et déjà défoncées. Le chauffeur ouvre la boîte à gants et en sort un chiffon sale pour essuyer le volant mouillé par la pluie. Aman Erum passe sa main sur le tissu déchiré du siège arrière.

Il reconnaît l'odeur. Le taxi pue l'essence. Aman Erum ne veut pas salir son *shalwar kameez*, qui vient d'être lavé et repassé. Il ne veut pas que cette odeur âcre, écœurante s'accroche à lui aujourd'hui. Le crachin pénètre à l'intérieur de l'habitacle par la vitre ouverte, mouillant son visage, tandis que le ressort cassé lui entre à nouveau dans le dos.

Emprunté et mal à l'aise au milieu des autres enfants, Aman Erum ne parvint jamais à intégrer le gang des petits cyclistes. Non, il écrivait à Samarra des poèmes, de courtes strophes dans le cahier de géographie qu'elle emmenait à l'école – un cours qu'ils partageaient désormais, depuis qu'il avait sauté une classe – et se déclarait éperdument amoureux de la fillette de douze ans dont les cheveux étaient tressés un peu n'importe comment. Aman Erum vivait dans l'attente de ces étés où Ghazan Afridi emmenait sa fille dans le Chitral.

Mais Ghazan Afridi commença à s'absenter de Mir Ali pour des périodes de plus en plus longues. Samarra, l'étoile polaire de son père, l'avait jusque-là toujours accompagné, mais il ne l'emmenait plus aussi souvent. Elle était désormais trop grande, trop femme. Il disait que c'était dangereux. Samarra n'avait pas peur. Elle aurait quand même voulu le suivre. Mais Ghazan Afridi la laissait auprès de sa mère, Malalai, enfourchant sa moto chinoise pour des odyssées dont il ne révélait rien à son retour.

— Patience, disait-il à sa fille, accompagnant ce mot d'un geste éloquent, encore quelques années et le Pakistan sera à genoux.

Ghazan Afridi sous-entendait qu'il se préparait quelque chose d'important. Un été, longeant la Kunar, il se rendit à Jalalabad à moto et laissa Samarra seule au camp.

Aman Erum n'eut plus à attendre que Samarra vienne le voir. Finies toutes ces heures qu'il passait à tuer le temps, assis devant la porte ajourée en nid-d'abeilles à Mir Ali, à guetter le bruit des pas de son amie dehors, sur le gravier, avec sa pile de livres sur les genoux, dont le poids lui engourdissait les jambes.

— Et si on vivait ici ? demanda Aman Erum une nuit qu'ils se trouvaient devant les tentes de leurs pères. Et si on restait ?

Il s'était depuis toujours senti un peu prisonnier à Mir Ali. Il voulait en sortir, être libre, gagner de l'argent, se déplacer sans être soumis aux contrôles des policiers militaires qui passaient leurs têtes coiffées de bérets rouges dans votre voiture pour l'inspecter et vous demander vos papiers. Les autres garçons de son âge ne semblaient pas étouffer à l'intérieur des frontières anarchiques de leur pays ; ils ne se sentaient pas limités comme lui.

Samarra rit. Même dans l'obscurité, Aman vit la tache rose de ses gencives.

— Nous ne sommes pas chez nous.

— Mais on pourrait en faire un, de chez-nous. Je pourrais être guide, démarrer une activité. Faire passer les cols à des voyageurs.

Aman Erum connaissait bien la montagne, il savait retrouver son chemin dans les forêts. Inayat lui avait appris à magnétiser une aiguille, à la frotter sur la laine d'une manche de pull pendant trois minutes jusqu'à avoir le doigt tout engourdi. Inayat regardait Aman Erum poser l'aiguille sur une feuille et se fabriquer ainsi une boussole pour les guider à travers cette nature hostile qui leur était inconnue. Son père lui avait enseigné les cartes de la région, qui avaient été dessinées de mémoire et dont les distances étaient calculées en pas, et non en kilomètres. Inayat croyait que son fils éprouverait un sentiment d'appartenance à connaître cette cartographie du cœur. Mais Inayat pensait à un garçon différent, un fils beaucoup plus jeune.

Aman Erum avait quinze ans. Il échafaudait des plans d'évasion depuis sa première sortie hors de Mir Ali. Jusque-là, il ne connaissait du Pakistan que le Chitral. Mais, dans un magazine, il avait vu un reportage photo sur Bahawâlpur avec ses palaces de grès illuminés de guirlandes électriques, ses forts imposants et ses lieux saints bleu et blanc. Il avait lu des choses sur le port de Karachi, sur les bateaux qui y mouillaient en provenance de Grèce et de Turquie, sur les autoroutes qui reliaient les vertes plaines du Pendjab. Il irait n'importe où. Tout, plutôt que passer sa vie à Mir Ali.

— Tu ne peux pas faire ça.

Samarra avait seize ans.

Aman Erum plongea ses yeux dans les siens, qui étaient verts, juste soulignés par des cils épais, avec une petite tache brune dans l'iris. Même ça, c'était magnifique, se dit-il en regardant Samarra au clair de lune pâle du Chitral. Ses bras grêles s'étaient étoffés, sa voix était devenue adulte. Elle parlait lentement, presque avec langueur. Aman Erum se détourna pour porter son regard vers la vallée.

— Bien sûr que si, je peux. Je viens ici depuis que je suis enfant – je connais très bien le terrain, les pistes. Depuis combien de temps fais-je des randonnées avec Baba, je ne sais même plus. Dix ans ? Des tas de gens s'aventurent par ici tout seuls. Comment crois-tu qu'ils y arrivent ? Et il n'y a personne pour les emmener dans les meilleurs coins, là où il y a des carpes, des truites arc-en-ciel, où…

Samarra, dont les cheveux n'étaient plus tressés désormais, mais dénoués sur les épaules, l'interrompit.

— Non, tu ne peux pas choisir ta maison. Tu ne peux pas t'en créer une nouvelle.

Aman Erum resta silencieux. Elle ne comprenait rien à l'avenir.

Samarra, qui ne portait plus de jeans, se leva et brossa l'herbe de son *shalwar kameez* humide de rosée par endroits.

— Nous avons déjà une maison, ajouta-t-elle.

Ses mots furent avalés par la nuit. Aman Erum n'écoutait plus.

L'été de ses dix-sept ans, Samarra ne vint pas au camp. Personne n'avait vu Ghazan Afridi depuis le printemps. Il avait chargé de la nourriture pour une semaine de périple sur sa moto, dit au revoir de loin à sa femme restée sur le seuil de la porte et embrassé la main de sa fille avant de la porter à son front. « Pense à moi », avait dit Ghazan Afridi. Pas un mot sur l'endroit où il allait ; il ne le révélait que rarement ces derniers temps. « Pense à moi » avaient été ses seules paroles. Et c'est ce que Samarra continuait de faire.

Les pères envisagèrent de retarder le voyage, rompant avec la tradition dans l'espoir de voir réapparaître Ghazan Afridi, mais ils finirent par partir sans lui. Qui savait quand il reviendrait ? S'il allait revenir, seulement ? Et dans quel état ?

— Ça peut prendre des mois. Des années, même, dit Aman Erum à Samarra Afridi, pour la consoler, tandis qu'il faisait ses bagages pour l'expédition.

Roulant soigneusement la bâche goudronnée pour la placer à l'arrière du pick-up bleu clair d'Inayat, Aman Erum avait prononcé le mot « années ». Samarra avait entendu des gens colporter des ragots, dire que Ghazan Afridi avait une autre famille de l'autre côté de la frontière. Qu'il avait d'autres enfants. Qu'il dirigeait des camps d'entraînement. Qu'il recevait des subsides d'autres pays, d'autres États. Elle avait entendu dire toutes ces choses et elle en était heureuse. Rien n'était pire que ce qu'elle s'imaginait.

— Peut-être des années, Samarra, plus vraisemblablement quelques mois seulement, mais il reviendra.

Il chargea le pick-up et hocha la tête.

— Des années, peut-être.

Mais Ghazan Afridi ne revint jamais.

Aman Erum grimpa à l'arrière de la camionnette, tenant un jerrican d'essence entre ses genoux. Il enviait Ghazan Afridi, il s'en était sorti. Pour Aman Erum, au fond, peu importait de quelle façon. Il en avait tellement assez de Mir Ali.

— Samarra, tu sais mieux que personne qu'il reviendra.

Il lui parlait tout en déplaçant le bidon pour que le bec verseur ne soit pas vers lui et qu'il ait suffisamment d'espace pour étendre ses jambes, mais quand il leva les yeux, Samarra était déjà partie. Il ne la voyait plus, mais le bruit de ses pas sur le gravier lui parvint encore tandis qu'elle s'éloignait.

Aman Erum écrivit des poèmes à Samarra jusqu'à ce que, l'âge venant, leurs échanges épistolaires, par conséquent non chaperonnés, attirent l'attention des adultes chargés de veiller sur les amours de leurs enfants.

Samarra n'écrivit jamais une ligne de poésie à son bien-aimé. Elle lui autorisait les sérénades, acceptait de recevoir ses poèmes et ses histoires qui la sortaient de son chagrin, mais elle était trop triste pour répondre en vers. Elle n'irait pas à l'université, comme Aman Erum. Elle s'arrêterait en seconde, au système métrique, une éducation plus que suffisante, jugeait-on, pour une beauté de dix-sept ans dont on espérait qu'elle n'aurait jamais besoin d'en apprendre plus. Sa vie serait bénie, et une fois mariée et installée chez son époux, elle n'aurait plus le temps pour ça. Ghazan Afridi serait alors peut-être de retour. Comme elle en serait heureuse ! Comme ce serait bien !

Samarra ne s'en plaignit pas. Elle prit sur elle d'étudier seule, chez elle, à partir de livres de physique d'occasion achetés à un bouquiniste du marché qui vendait des bandes dessinées et des exemplaires de la poésie de Rahman Baba à moitié mangés par des chiens, et de travailler à des exercices trouvés dans des manuels ayant déjà servi ; jusqu'au jour où les anciens n'eurent d'autre choix que de céder et lui permettre de suivre les cours de l'université locale, à la condition qu'elle n'aille pas au-delà de la licence.

Aman Erum avait postulé pour être militaire sans en toucher un mot à qui que ce soit. Il était jeune, n'avait pas de casier, la famille de sa mère était honorablement connue. Il s'était dit qu'entrer dans l'armée serait un bon moyen de quitter Mir Ali et d'intégrer une des écoles d'élèves officiers. Mais deux événements se produisirent. D'abord, il ne fut pas accepté. L'armée ne recrutait pas d'hommes venant de ces régions ; il n'y avait même pas de bureau de recrutement à Mir Ali à l'époque. L'officier à qui Aman Erum avait parlé, le seul homme en vert kaki posté devant la base militaire, lui avait ri au nez.

Non seulement Aman Erum avait été rejeté, mais en plus, Inayat l'avait appris. Aman Erum ne sut jamais comment, puisqu'il n'en avait parlé ni à sa mère ni à ses frères, mais le fait est qu'Inayat était au courant de sa tentative d'engagement. Évoquant un second choix, seule alternative envisageable, un soir au dîner, Aman Erum parla de faire des études commerciales à l'université locale.

— Ce serait une première étape, évidemment. Je ne vais pas étudier le commerce juste pour rester à Mir Ali, à marchander le prix des tapis. Ce serait une bonne base pour pouvoir poursuivre mes études à l'étranger. D'accord, ce sera cher mais, si je travaille dur ici, je pourrais peut-être obtenir une bourse.

Aman Erum était devenu moins timide en grandissant. Sikandar, le frère du milieu, l'avait écouté en tenant en l'air un morceau de *rotay* à moitié mangé.

— Tu penses pouvoir obtenir combien ?

Aman Erum réfléchit à la question.

— J'aurais à payer des centaines de mille, sans doute – même avec une bourse –, mais juste pour les frais d'hébergement et de subsistance.

Entendant cela, Inayat, qui mangeait très peu, juste du yaourt avec son *rotay*, repoussa son assiette.

— Tes choix, tu vas devoir les payer, Aman Erum, et même beaucoup plus que tu ne l'imagines.

Des mots qui devaient demeurer en suspens entre eux.

Le cœur d'Aman Erum se mit à battre plus vite, trop vite. Il regarda son assiette remplie de nourriture à laquelle il n'avait même pas touché, si occupé qu'il était à parler. Il prit un morceau d'agneau, un petit *boti* grillé au charbon de bois, et le mit dans sa bouche.

S'appuyant des mains sur la table, Inayat se leva de sa chaise et quitta la cuisine sans rien ajouter.

À l'époque, le seul moyen de partir, pour Aman Erum, était de se lancer dans les affaires. Il fallait qu'il gagne de quoi prendre le large. Il était le fils aîné, celui qui ouvrirait la voie à ses frères, notamment pour sortir du commerce des tapis dans lequel la famille se débattait depuis des décennies, activité désormais compromise par la disparition des routes commerciales et la présence des militaires qui exigeaient de percevoir leur part sur le transport des tapis à travers les frontières du Nord.

— Les tapis de l'Askari[2] ! s'était un jour esclaffé le père d'Aman Erum, qui avait les cheveux blancs comme neige, des racines du cuir chevelu au duvet de sa barbe et à sa moustache bien taillée. Tu imagines ! avait-il ajouté, riant avec moins d'assurance, plus doucement. Ils auront mis leurs pattes sur tout, même sur la terre où nous nous tenons et sur les fibres dont sont tissées nos histoires.

Inayat avait participé à la première bataille pour Mir Ali dans les années 1950 et survécu. Il avait combattu parmi les plus braves, contre les jeunes soldats excités de la nouvelle armée pakistanaise. Toute leur enfance, ses fils avaient été nourris d'histoires racontant les combats.

— Au bout de deux semaines de bivouac dans les collines et les montagnes à ramper, à esquiver les tirs et

2. « Askari » est le nom de l'armée pakistanaise en ourdou.

échanger des coups de feu contre des machines monstrueuses, nous avons épousseté nos châles brodés, qui servaient à la fois d'accoudoirs, de cache-col et d'oreillers, et nous avons accueilli le régiment suivant qui venait de la ville pour nous relever. Nous leur avons laissé les feuilles de thé qui restaient et nos vêtements les plus chauds ; nous n'avions qu'une heure et demie de marche à faire pour redescendre et retrouver la maison maternelle.

— Tu y es retourné ?

Aman Erum devait avoir quinze ans. C'était encore un enfant.

Cette question qu'Aman Erum ne se rappelait même pas avoir posée avait troublé Inayat des années durant.

— Si nous y sommes retournés ? Si nous y sommes retournés ?

Inayat secoua la tête et se passa les mains dans les cheveux.

Aman Erum ne se souvenait pas d'avoir demandé si les rebelles étaient retournés sur le champ de bataille. Mais il se rappelait d'autres questions de ses années d'adolescence.

— Nous avons passé les vingt années suivantes à nous cacher, ou dans des camps de torture, ou dans des cellules clandestines disséminées un peu partout dans le pays.

Dans l'intervalle, Inayat avait vieilli. L'âge venu, ses épaules s'étant voûtées, ses sourcils chenus ayant épaissi, ses poumons peinant contre sa cage thoracique, il consacra le reste de sa vie à transmettre la mémoire d'une jeunesse passée à lutter, à se battre pour Mir Ali.

— L'État n'a pas eu besoin qu'une bande de rebelles franchisse une frontière, plante un drapeau et proclame son indépendance et son autonomie. Cette fois, ce sont eux qui sont venus à nous. Ils ont attendu que le calme règne. Que nous autres combattants abandonnions nos chargeurs, nos rangers abîmées, nos tenues de camouflage, pour revenir à une vie ordinaire, retrouver nos vêtements de professeurs, de commerçants, d'étudiants en économie ou de plombiers. Et c'est alors qu'ils ont envoyé l'armée.

Des milliers de soldats, en convois de véhicules blindés, équipés de fusils d'assaut et de grenades à main, avaient débarqué à Mir Ali. Ils étaient arrivés en bataillons conquérants et aussi en civil. Cette histoire, Aman Erum la connaissait par cœur.

— Ils ont enfoncé les portes aux petites heures du jour, les hommes ont été enlevés en pleine rue, les femmes se sont retrouvées veuves, les enfants, orphelins ; tout cela pour que chacun comprenne bien, dans cette ville, que l'État savait être impitoyable. Aucune autre génération de guerriers mâles ne grandirait à Mir Ali.

Inayat avait les larmes aux yeux en racontant cela.

— Quelques anciens ont pu fuir de l'autre côté de la frontière afghane, et certains de leurs fils qui étaient venus les rejoindre ont été pourchassés, tués – ont perdu leur sang sur un sol lointain et ont été enterrés en *no man's land*. Pendant un temps, jusqu'à la fin des années 1970, l'État a cru – vraiment cru – avoir terrassé la révolte des habitants de Mir Ali.

— Ce n'est pas le cas ?

Aman Erum se souvenait de cette question.

Et il n'oublierait jamais le silence qui s'en était suivi.

Ce fut la dernière fois qu'Inayat raconta ses souvenirs à Aman Erum. Inayat était le gardien de l'histoire de Mir Ali ;

il distinguait ceux avec qui il pouvait partager sa nostalgie de ceux à qui cela devait être refusé.

— Ne laisse pas tomber ce garçon, plaida Zainab à l'adresse de son mari, en le voyant s'éloigner de lui pour partager ses souvenirs avec Hayat, leur plus jeune fils, qu'il alimentait chaque soir de nouvelles histoires, reléguant ainsi Aman Erum à ses manuels scolaires. Tu l'exclus.

— Il est trop en colère, lui répondait calmement Inayat. Il fait le compte de mes défaites.

— Il est encore très jeune, insistait Zainab. Il ne va pas comprendre pourquoi tu racontes ces histoires à Hayat et pas à lui.

— Il comprend.

Inayat secouait la tête et disait tranquillement :

— Il comprend parfaitement, Zainab.

Et l'histoire de Mir Ali continua de s'écrire.

La plupart des Pakistanais avaient à l'égard de Mir Ali la même hostilité que pour l'Inde ou le Bangladesh ; leurs habitants n'étaient que des déserteurs – qui avaient coupé les ponts avec leurs origines pour aller réussir ailleurs, loin du glorieux croissant de lune et de l'étoile brillant au firmament.

Mais cette lune n'a jamais cessé de briller sur Mir Ali. Elle est toujours présente dans le ciel, nuit après nuit, condamnant la ville à vivre dans son ombre de glace.

Mir Ali était dans une impasse. Et Aman Erum refusait de s'y laisser piéger.

Il voulait partir. Il voulait un visa lui permettant de quitter cette ville étouffée qui était la sienne, mais il affirmait que ce qu'il voulait avant tout c'était une chance de travailler librement – un moyen de gagner sa vie qu'on ne pourrait pas lui enlever.

Il était capable de créer une activité n'importe où, dit-il à sa mère, qui ignorait tout de l'économie de marché, mais rêvait souvent du vaste monde. Il pourrait prendre un vol pour l'Australie et ouvrir une agence de voyages internationale destinée aux immigrants originaires de pays qui ne se trouvaient pas sur les itinéraires de la compagnie Qantas ou sur ceux proposés par Internet.

Il pourrait aller au Canada, y importer des objets d'artisanat local qui rappelleraient aux immigrés vivant là-bas, dans des maisons vides, non décorées, les paysages qu'ils avaient laissés derrière eux, à des milliers de kilomètres, pour démarrer une nouvelle vie.

Ou en Angleterre. On lui avait parlé d'enfants de voisins partis s'y installer qui travaillaient dans des petites épiceries ou des restaurants jusqu'à bâtir tout un quartier grâce à leurs entreprises. Ce serait facile, expliqua Aman Erum à sa famille et à ses jeunes frères, dès lors qu'il aurait acquis le langage international des affaires.

Ses frères cadets s'intéressaient passionnément à ses projets, les suivaient de près. Sikandar s'appropria même les manuels universitaires d'Aman Erum en prévision du jour où lui aussi pourrait obtenir une bourse pour des études de commerce. Hayat et lui attendaient tous deux d'être invités à devenir associés des affaires internationales non encore baptisées ni fondées d'Aman Erum.

Mais pour être invité par Aman Erum, il y avait toujours un prix à payer.

— La *jumat* de la rue Pir-Roshan ? dit le chauffeur de taxi, se tournant vers le passager, qui n'a pas bougé sur son siège ni quitté la vitre des yeux, pour que celui-ci l'entende. Ce n'est plus ce que c'était, les sermons sont courts, ils manquent d'inspiration. Pourquoi vous n'allez pas plutôt à la mosquée Sulaiman ? Je peux vous y conduire. L'imam est bien meilleur, son prêche est plein de fougue.

— L'un de mes frères y va déjà. Moi, je vais à la *jumat* de la rue Hussain-Kamal, dit Aman Erum, sans cesser d'observer les rues de Mir Ali.

Il ne regarde pas le chauffeur de taxi, un homme à l'air aigri qui porte un pull de laine marron par-dessus son *shalwar kameez* tout fripé.

— Pourquoi vous ne l'accompagnez pas, alors ? Pourquoi aller si loin alors que vous pourriez être en famille à la *jumat* Sulaiman ?

— Trop dangereux.

Il tourne la tête, très légèrement, juste le temps de voir le froncement de sourcils du chauffeur de taxi, une expression qui semble gravée en permanence sur son front.

— Au cas où il arriverait quelque chose.

Aman Erum s'éclaircit la gorge. La phrase est coincée dans sa trachée, et il doit la sortir, bien la prononcer. Donne-t-il l'impression d'être paranoïaque ?

Personne ne va au marché avec leur mère ; elle s'y rend seule et porte elle-même ses sacs en plastique fin remplis d'aubergines trop mûres et de melons amers, ses doigts pleins d'arthrite devenant blancs au niveau des articulations tellement les légumes sont lourds.

Personne ne travaille plus à l'atelier de mécanique qu'Inayat a créé avec l'aide de ses fils après la disparition de la vieille affaire familiale de négoce de tapis, après le refus d'Aman Erum d'en prendre la suite – comme on le lui rappelle souvent. Lorsque le travail s'accumule, ils se relaient à tour de rôle pour donner un coup de main au vieux gérant de leur père qui s'occupe toujours de l'atelier. Mais les trois frères ne se retrouvent plus autour de moteurs grillés, à fumer des cigarettes entre leurs doigts tachés de graisse toxique et de sueur.

Ils ne prient jamais ensemble, ne voyagent jamais à deux ni ne prennent de repas en groupe. C'est ainsi qu'ils vivent désormais, seuls.

Le front du chauffeur de taxi se détend, ses yeux ont compris.

— Je ne vais plus à la *munz* du vendredi. C'est plus sûr, Allah nous exemptera. Il nous en a déjà exempté. Il a oublié tout ce qui Lui venait de Mir Ali, des frontières de ce pays dans le pays.

Aman Erum n'a pas envie d'en discuter plus avant.

Mais le chauffeur de taxi est lancé.

— Les autorités nous mentent avec leurs promesses d'autonomie – plus, même, que l'autonomie, la décentralisation, pour que chaque province ait la maîtrise de ses propres affaires. Et voilà que cet escroc de gouverneur vient ici aujourd'hui et emploie des mots comme « démocratie », « réconciliation », « décentralisation ». Croit-il vraiment qu'on soit naïfs au point de prendre toutes ces belles paroles pour argent comptant ? Croit-il vraiment qu'on n'a pas compris qu'ils ont trouvé un nouveau moyen de nous monter les uns contre les autres ?

Aman Erum n'a aucune envie de parler de cette visite. Tout le monde ne parle que de ça depuis des semaines.

— *Khair*[3], poursuit le chauffeur de taxi, au moins, les médias font un effort pour ne pas traiter les gens de

3. « OK » en ourdou.

Mir Ali comme des sauvages. Ils parlent tout de même de nous avec une certaine curiosité. Et de notre jeunesse dont ils déplorent le manque d'inspiration.

— Mais qu'est-ce qu'on peut faire ? dit Aman Erum avec un haussement d'épaules.

— Il y en a qui savent quoi faire, répliqua le chauffeur de taxi en fixant son passager dans le rétroviseur, quoi faire et comment. Croyez-moi, *zve*, ils sont légion.

— Et après ? Quel avenir pour Mir Ali ?

Inayat avait refusé de répondre à son fils aîné.

— Ne me dis pas que tu penses qu'il y a une issue ? Que vous pouvez continuer comme ça ?

Inayat avait toujours su ce qui allait s'ensuivre. Ces hommes, qui passaient leur jeunesse dans des abris boueux, à boire de l'eau de pluie trouble avec des feuilles de thé, savaient tous ce qu'il adviendrait de leur combat. L'État allait à son tour livrer le sien.

Ville après ville, la violence exercée à une grande échelle par l'armée avait déclenché des guerres civiles – et cela depuis des décennies, pour finalement atteindre son paroxysme dans la guerre au terrorisme. L'une après l'autre, les villes de Swat, Bajaur, Deer, Bannu… toutes s'étaient soulevées contre le pouvoir central.

— L'armée n'a rien vu venir, dit Inayat en se penchant par-dessus la table de la cuisine, pour prendre la main de Hayat dans la sienne. C'est elle qui a créé cette situation et elle n'arrive pas à le comprendre. Elle ne se rend pas compte que c'est elle qui a allumé tous ces feux.

Inayat pressa la main de son fils.

Lorsque le moment est venu, Mir Ali s'est levée pour redresser un tort historique. Le district et la ville qui en constituait le cœur se sont rassemblés. Mir Ali allait se battre.

— La vie à laquelle nous sommes habitués à Mir Ali va devoir changer de façon radicale, dit Inayat, préparant Hayat aux combats qui les attendaient. Nous allons apprendre à nos enfants à vivre avec les couvre-feux et les raids nocturnes, préparer les anciens à se déplacer à 3 heures du matin, abandonner nos maisons et nos biens. Chaque membre de la famille saura que la souffrance ne compte pas dès lors que l'on se bat pour la collectivité.

Hayat était prêt. Hayat avait toujours su que c'était là sa destinée, plus que pour les autres. Son frère aîné ne pensait qu'à ses études, ses affaires, ses perspectives d'expatriation – vendant à des prix extravagants des colifichets achetés pour une bouchée de pain dans sa ville natale, ou bien arnaquant les touristes lorsque le temps était au beau en montagne et que la rivière regorgeait de truites arc-en-ciel. Il était de Mir Ali mais il y avait longtemps qu'il avait résolu de ne pas y bâtir son avenir, seulement sa fortune.

Ils étaient tous restés assis autour de la table de la cuisine jusque tard dans la soirée à écouter leur père parler sous forme de paraboles, mais c'était Hayat qui en comprenait vraiment le sens, Hayat qui écoutait au-delà de la modulation de la voix de son père, alors que le radiateur électrique vibrait à côté d'eux.

Inayat ne parlait jamais à Hayat de son avenir, il lui parlait du passé, de ses terribles répercussions sur le présent et il savait que son fils – qui devenait de plus en plus grand et dont les cheveux étaient de plus en plus longs si Zainab n'insistait pas pour qu'il aille chez le coiffeur – n'avait guère besoin d'inspiration.

Hayat ne parlait pas de Mir Ali, il était à son écoute. Il observait, attentif à tous ceux qui, comme lui, attendaient d'être entraînés dans la clandestinité afin de pouvoir s'engager pour la protéger. Mais ce fut à la maison que l'appel retentit. Mir Ali ne serait pas abandonnée par ses fils, dit Inayat à Hayat, en offrant un des siens au mouvement.

Hayat avait déjà entendu dire à l'école que des hommes, qui étaient partis bien loin de chez eux travailler comme personnel de cuisine et *sokidars*[4] à travers le pays, envoyaient leurs payes sans qu'on le leur demande. Des chiites, partis parce que se sentant menacés par les mouvements sunnites qui s'étaient multipliés autour des frontières du Nord, renvoyaient leurs fils à Mir Ali. « Tous au service de la fraternité », avait-il dit à son père. Hayat se sentait en phase avec ces événements. La bataille pour Mir Ali ne se cantonnait plus aux panégyriques entendus chez lui, aux pieds d'Inayat.

Pendant ce temps, Sikandar avait abandonné son projet de suivre son frère aîné dans les affaires et s'était lancé dans des études médicales. Il travaillait jour et nuit pour réussir ses examens. Il voulait se réaliser, apporter lui aussi sa petite pierre. Mais il voulait que ce soit sûr, bien cadré. Les affaires – au moins telles qu'Aman Erum les concevait – étaient trop hasardeuses. Elles dépendaient trop de l'inconnu au goût de Sikandar. Point n'était besoin de partir loin de chez soi ; des possibilités, il y en avait plein à proximité. Il était dans les premiers de sa promotion à l'école de médecine. Il expliqua à Hayat

4. « Gardien » en ourdou.

qu'il n'avait absolument pas le temps de s'engager, pour l'instant.

Mais Hayat n'était pas en quête de compagnie. Il voulait seulement des nouvelles du mouvement d'insurrection. À mesure que les mois passaient et que les combats s'intensifiaient, il avait entendu dire que ceux qui vivaient à l'étranger, où ils essayaient de se construire une vie meilleure, étaient revenus pour se battre. Femmes, hommes, ou enfants, il n'y avait pas de peureux parmi ceux qui avaient foi en Mir Ali. Leur heure avait fini par sonner, comme l'avaient anticipé les générations qui les avaient précédés dans le combat et les souffrances. Mais tous ne se réjouissaient pas de lutter, de mourir pour Mir Ali.

Samarra ne sortit plus jamais de Mir Ali. Finis les étés dans le Chitral, finies les balades à moto le long des rapides de la Kunar, finis les cadeaux enveloppés dans de vieux journaux ramenés de Kohat ou de Peshawar et sentant le cuir de la veste que Ghazan Afridi portait en hiver. Dans les premières années de l'absence de son père, Samarra s'était assignée à ne pas bouger de chez elle, à s'occuper de sa mère, Malalai, à essayer de la convaincre de croire en tout ce qu'elle pensait être vrai. Des oncles – des cousins éloignés et des vieux de la famille – venaient de temps à autre avec des cadeaux, des liasses maintenues par un élastique ou une agrafe, de sorte que les billets, sur lesquels apparaissait le visage sévère de Muhammad Ali Jinnah, mouillés par des taches de *paan*, se déchiraient. « C'est notre devoir », disaient-ils, d'un ton solennel. Quelques milliers de roupies chaque mois, de quoi payer les factures, permettre à Samarra de continuer ses études. Mais, même lorsque cette source-là commença à se tarir, même lorsque la mère de Samarra se mit à enseigner, à faire la cuisine et la couture pour arrondir leurs revenus, ces parents-là continuèrent de venir plusieurs fois par semaine, accompagnés de voisins ou d'anciens collègues de Ghazan Afridi. Ils venaient se manifester auprès de la famille délaissée et présenter leurs condoléances.

Au début, Samarra aidait sa mère à recevoir courtoisement ces visiteurs, leur apportant du thé sur un plateau et des mouchoirs en papier pour essuyer leurs larmes inutiles. Sa mère ne manquait jamais de pleurer lorsqu'elle recevait les cousins de son mari et leurs femmes.

— Ne pleure pas, murmura Samarra un jour à sa mère, après le départ des visiteurs, alors qu'elles étaient encore sur le seuil de la porte. Ne pleure pas. Les braves n'ont rien à craindre, jamais.

Mais Samarra n'avait aucun contrôle sur les larmes de sa mère, ne pouvait pas réfréner son chagrin. Elle n'arrivait pas à la convaincre de ce que personne ne savait quoi que ce soit, qu'il n'y avait pas de corps, que Ghazan Afridi ne pouvait qu'être en vie. On ne pleure pas un homme qui se cache. On ne porte pas le deuil d'un homme qu'on n'a pas enterré.

Samarra ne pouvait pas empêcher ces visiteurs d'apporter nourriture et réconfort chaque semaine. Elle fit donc la seule chose qui était en son pouvoir. Elle cessa de servir le thé. Elle resta dans sa chambre, à mesurer le temps qui passait.

Samarra ne cessa jamais, en revanche, d'attendre le retour de Ghazan Afridi.

Samarra avait vingt et un ans à présent et l'impression que c'était à qui quitterait Mir Ali le premier. Elle essaya de partager l'excitation d'Aman Erum lorsque la nouvelle se répandit dans Mir Ali qu'il était sur le point de se rendre à Islamabad afin d'y recevoir un visa étudiant pour les États-Unis. Elle dit à ses amies qu'il allait se construire une nouvelle vie, celle qu'il avait toujours souhaitée. Et qu'à son retour à Mir Ali ils se marieraient et fonderaient une famille. « Les choses changent », disait-elle aux filles qui arboraient déjà des bagues de fiançailles. Elle aussi y croyait.

Elle savait que c'était la réponse à leurs interrogations quant à ce que serait leur vie. « C'est la seule chose qui peut le rendre heureux », racontait-elle à ses amies. Il y avait si longtemps qu'il avait envie de partir, déjà à l'époque où, lue loin des regards indiscrets et reçue avec un baiser timide, la poésie n'était pas dangereuse. « Qu'il parte donc, disait-elle, presque confiante. Comme ça, il verra ce qui se passe ailleurs ; c'est la seule façon de le faire revenir pour de bon. »

Aman Erum avait mis son costume trois-pièces en polyester sur mesure, d'un noir presque brillant, pour aller à son entretien à l'ambassade des États-Unis, dans l'enclave diplomatique surprotégée de la capitale du pays. Il avait le cœur qui battait vite. Il essaya de se concentrer sur son costume ; c'était la première fois qu'il le portait. Il pensa à Samarra, qui lui aurait dit que si son cœur battait aussi vite, c'était qu'il avait peur. Elle savait qu'il était nerveux quand les battements de son cœur s'accéléraient.

Aman Erum regarda la manche de sa veste. Son costume sortait de l'atelier de Zulfikar et fils. Le tailleur travaillait à la lueur d'une ampoule nue au sous-sol d'un immeuble résidentiel à proximité du souk. La boutique était simple – juste assez grande pour qu'un client puisse y étendre les bras –, mais en ville, Zulfikar était apprécié et connu des anciens. Les hommes de Mir Ali lui confiaient la coupe de leurs costumes, la confection de *sherwanis* à col Nehru pour les jeunes mariés nerveux, ainsi que des vestes sombres à porter sur les *shalwar kameez* et des manteaux de cuir pour les plus fortunés.

Zulfikar se targuait d'être bon tailleur, aussi bien pour hommes que pour dames, mais à la vérité, il préférait travailler pour les hommes. Lorsque, par hasard, des clientes se présentaient au magasin, serrant leurs sacs d'étoffes et de modèles sortis de magazines comme *Mag* ou *Elle*, ou de catalogues de vêtements comme Gul Ahmed, Zulfikar leur tendait le mètre souple de couturier et se retournait pendant qu'elles lui donnaient timidement leurs mensurations. Lui rougissait en les notant.

Aman Erum n'avait eu aucune raison de se rendre chez Zulfikar avant cela. Sa mère s'était chargée de la confection de ses *shalwar kameez* et de ses uniformes scolaires. Mais il était souvent descendu au sous-sol de l'immeuble jouxtant le souk, pour y toucher les vestes de cuir. Inayat en avait une, coupée dans un cuir de veau très souple. Il avait promis à ses fils que, lorsqu'ils seraient en âge de travailler, il les emmènerait chez Zulfikar et fils pour qu'on leur fasse des manteaux sur mesure. Mais son aîné n'avait pas pu attendre jusque-là, il avait voulu quelque chose tout de suite.

Aman Erum n'avait jamais acheté de costume avant, mais dans les journaux il avait vu des photos d'industriels assis, jambes négligemment croisées, dans de vastes salons blancs et dorés. Ils ne portaient jamais de *shalwar kameez* comme les propriétaires terriens féodaux. Leurs costumes étaient sombres, de coupe ajustée, même lorsque les industriels eux-mêmes étaient corpulents, et Aman Erum n'avait aucun doute sur celui qui forçait le respect quand ils recevaient les investisseurs étrangers ou des ministres du gouvernement. Il avait donc voulu leur ressembler.

Il voulait être élégant pour son entretien, il voulait être vu en costume.

Parti de Mir Ali dans un bus transportant des ouvriers et des candidats à l'exil comme lui, il était arrivé à Islamabad à 4 heures du matin. On l'avait prévenu que la capitale était sous haute surveillance et que se rendre à l'ambassade américaine était une véritable course d'obstacles. Il allait devoir se présenter à de nombreux postes de contrôle et passer par le parc d'activités, entouré d'une grille et étroitement surveillé, par lequel transitaient les bus qui emportaient les candidats ambitieux comme lui à l'intérieur de l'enclave diplomatique, les déposant à l'ambassade de leur choix pour un millier de roupies. Il valait mieux arriver tôt.

— Bon, sortez de là, bande de trouillards, qu'on en finisse au plus vite, avait lancé en ourdou le chauffeur du bus qui conduisait la dernière navette de la nuit. Des centaines de *jawans* – des milliers –, combien de nos hommes ont versé leur sang contre vous, les terroristes ?

Aman Erum était resté sagement assis dans le bus, gardant la tête baissée, se faisant tout petit pour que le chauffeur ne le remarque pas. C'était habituel, typique. Toute leur vie ils avaient supporté d'être traités comme ça à Mir Ali – de la part des professeurs des écoles publiques, des médias nationaux, des policiers, des soldats –, surtout les jeunes gens. Aman Erum avait appris à se taire. Il savait baisser les yeux et n'écouter que les battements de son cœur. L'ambassade lui avait fixé un rendez-vous. Tous ses papiers étaient en règle, et son nouveau costume venait d'être repassé. Il allait partir, laisser tout ça derrière lui.

— Le sang coulera encore, moi, je vous le dis. Vous, les traîtres (le chauffeur se retourna sur son siège pour cracher le mot de ses lèvres rougies de bétel), vous les traîtres, vous croyez qu'on n'entend pas votre musique. Qu'on ne comprend pas les paroles des chansons que vous vous chantez les uns aux autres. Mais bien sûr que si on les comprend. (Il hocha la tête par-dessus son grand volant.) On les connaît toutes, les paroles de vos chansons de traîtres.

Une fois à l'arrêt de bus, Aman Erum continua à pied, tenant serrée contre sa poitrine la chemise en plastique qui renfermait son passeport, sa carte nationale d'identité, les formulaires de candidature pour l'université de Montclair, les certificats médicaux exigés par l'État du New Jersey, ses relevés bancaires, ses diplômes, essayant de marcher avec assurance sans trop avoir l'air d'un étranger.

Des femmes pieds nus, courbées sur la crasse et la suie des caniveaux, leurs saris rentrés dans des gilets orange fluorescent, balayaient les rues avec des *jaroos*, brindilles attachées ensemble comme des balles de foin anémiques.

Aman Erum aurait cru que les gens chargés de donner tout son éclat au pays seraient, eux au moins, dotés d'équipements modernes, d'outils adéquats pour que les rues reluisent dans les phares des voitures diplomatiques. Il n'aurait pas imaginé que la capitale était nettoyée par une armée fluorescente d'hindoues, le sari attaché bien au-dessus de la taille pour leur permettre un mouvement de balayage souple et rapide.

Il n'avait jamais vu une femme en sari, en fait, sauf dans les films que lui et ses frères regardaient quand ils étaient enfants, des cassettes vidéo pirates passées en douce par Peshawar. Les femmes des amis sikhs de son père, des hommes restés sur la ceinture tribale longtemps après les vagues de migrations qui avaient conduit les communautés hindoues et chrétiennes du Waziristan de l'autre côté de la frontière, ne portaient que des *shalwar kameez*. Elles ne se distinguaient pas en tant que minorités ; rien en elles n'avait l'air étranger. Elles parlaient parfaitement le pachtoune, sans accent, et ressemblaient aux autres femmes de la ville avec leurs grands châles, leurs amples *shalwar kameez* et leur sandales en plastique sonores. Aman Erum n'avait jamais vu d'Indiennes avant. Ce serait la première fois, pensa Aman Erum, tandis que lui et les balayeuses en sari avançaient comme des ombres dans ce quartier boisé de la capitale.

Il ne vit personne d'autre dans les rues larges et les belles et grandes avenues d'Islamabad, uniquement des soldats en faction aux postes de contrôle, qui somnolaient plus ou moins jusqu'à ce que le tumulte de la circulation matinale les réveille et que les sérieux problèmes de sécurité de leur pays ne se rappellent à eux.

Les postes de contrôle d'Islamabad ne ressemblaient pas à ceux de Mir Ali – ici, pas de tanks, ni de tireurs camouflés répartis de telle sorte que quiconque tentant de passer en force prenait aussitôt une balle dans la tête. Aucune hostilité chez ces soldats ; ils se curaient les dents avec des allumettes et arpentaient le trottoir, bras croisés dans le dos, jusqu'à ce qu'une voiture klaxonne pour signaler qu'elle était prête pour l'inspection.

Quelques mois plus tôt, au cybercafé Shah Sawar de Mir Ali, Aman Erum avait pris place devant un ordinateur, après avoir présenté sa carte d'identité au propriétaire, un homme aux lunettes à épaisse monture, qui avait recopié son numéro dans un grand registre avant de lui assigner une place, puis il s'était mis à chercher les programmes de MBA américains. Les murs étaient peints d'un magnifique rose de jardin d'enfants. De vieilles affiches de films de Bollywood abîmées où l'on voyait de chastes héroïnes à l'expression candide et douloureuse couvraient les murs du bureau du propriétaire.

Le cybercafé était bondé, de jeunes gens, surtout, casques à écouteurs sur la tête, les yeux cachés derrière des lunettes noires, qui naviguaient parmi les fonds d'écrans des nouvelles starlettes de Bollywood avec minijupes et ventres nus, l'air beaucoup plus effronté, celles-là. Mais, tandis qu'il cliquait sur les sites promettant des prêts à taux attractifs aux étudiants étrangers, il remarqua que la plupart des écrans de ses voisins n'étaient pas ouverts sur des photos légèrement retouchées de bustes avantageux, mais bien sur le site web de l'ambassade. Ils téléchargeaient les formulaires de demandes de visas, copiaient la liste des formalités administratives pour l'immigration ou rêvaient devant des photos de campus universitaires en Technicolor avec pelouses couvertes de rosée où des athlètes lançaient des Frisbee.

Les hommes qui faisaient ces recherches en douce sur Internet au cybercafé de Shah Sawar de Mir Ali ne se parlaient pas, n'échangeaient pas d'informations ou d'adresses de sites. Certains allaient directement au fond de la salle où Rustam était installé, monopolisant l'espace situé derrière le bureau du propriétaire. Rustam avait des cheveux d'un blond roux frisés, pommadés et lissés en arrière. Il avait toujours des stylos de quatre couleurs différentes dans sa poche de poitrine et, en échange d'une rémunération, proposait toutes sortes de petits services à qui avait besoin de remplir des formulaires officiels. Il disposait de modèles de demande de visa américain – non, je n'ai jamais été arrêté pour un crime motivé par la haine. Non, je ne suis pas, ni n'ai jamais été nazi – britannique, canadien, indonésien, ou des Émirats et de l'espace Schengen. Pour tout autre pays, c'était un peu plus cher. Rustam ne travaillait pas vraiment pour le cybercafé. Il se contentait d'être là et de remplir des formulaires de sa calligraphie soignée tandis que le propriétaire inscrivait les noms sur sa liste d'attente.

Tous ces jeunes gens, qui entraient et sortaient du café leur carte d'identité à la main, ou rajustant leurs jeans de contrefaçon en attendant que le propriétaire leur assigne un ordinateur, échangeaient parfois un regard ou un petit signe de tête. Ils étaient camarades d'évasion. Mais ce n'était qu'un signe de reconnaissance, comme ça, en passant.

Aman Erum fit un pas de côté pour éviter les balayeuses dont les corps ratatinés, courbés au bord du trottoir, ne s'annonçaient aux passants que par le petit *swish swish* de leurs balayettes. Il s'efforça de ne pas croiser leurs regards. Il avait honte de leur travail, de leur soumission à cette sale capitale. Aman Erum n'éprouva aucune compassion face à leur incapacité à aspirer à autre chose.

Personne ne s'adressa à Aman Erum lorsqu'il parcourut les petites rues désertes allant des bâtiments officiels et des bureaux des fonctionnaires au parc d'activités. Ni les balayeuses, qui avaient les yeux baissés, concentrées sur leur tâches, ni les agents de la circulation dans leurs uniformes gris-bleu bien repassés. Le trajet lui prit quand même trop de temps. Il traîna – l'œil attiré par les trottoirs pavés, les ronds-points de chrysanthèmes jaunes et les monuments aux carrefours, tous érigés à la gloire de quelques politiciens, toujours les mêmes.

Quand il réalisa que l'heure de son rendez-vous approchait, Aman Erum glissa sa pochette en plastique à l'intérieur de la veste de son costume, attentif à ne pas en froisser les papiers. Il croisa les bras sur sa poitrine pour les serrer contre lui et se mit à courir dans son beau costume neuf.

Haletant et à bout de souffle, les joues rouges, le cœur battant, Aman Erum monta dans le bus du parc d'activités à 6 heures du matin avec les autres candidats qui avaient tous l'air fatigués et soucieux, et il se laissa conduire lentement à travers les quartiers pauvres de l'enclave diplomatique jusqu'à l'ambassade américaine.

Aman Erum n'aurait jamais cru que l'enclave puisse ressembler à cela. Il avait imaginé des palais, des ambassades majestueuses, avec gardes en uniforme et drapeaux claquant fièrement au vent, mais on était loin du compte. On ne voyait que des petites maisons en briques, des égouts à ciel ouvert, des enfants pieds nus dont les cheveux n'avaient jamais connu de peigne poursuivant les voitures, des petits stands de vendeurs d'oignons.

— C'est ça, l'enclave diplomatique ? demanda Aman Erum dans son meilleur ourdou, sans accent, se penchant vers le contrôleur de billets qui les avait fait monter à bord et qui se tenait près de la vitre ouverte.

— Non, non, répondit l'homme dont l'accent dissimulait lui aussi quelque chose – une inflexion du Nord, pensa-t-il –, c'est l'accès secondaire, la grille de derrière ; on ne passe pas devant les ambassades ; ça dérange les *firangis.* À cette heure matinale, ils font leur jogging et sortent leurs chiens.

L'homme se mit à rire.

— Ils sortent leurs chiens, répéta-t-il.

Lorsqu'ils parvinrent à l'énorme et indéfinissable structure blanche, qu'on aurait pu prendre pour un entrepôt, le contrôleur les fit tous descendre et les invita à se mettre sur deux files séparées dans la rue menant à l'ambassade.

Il y avait les immigrants venus en famille, jeunes enfants et arrière-grands-mères grelottant dans le froid du petit matin. Quand ils souriaient, c'était du bout des lèvres, d'un sourire timide, forcé, inquiet, modelé sur celui de leur vis-à-vis. Dans ces familles-là tout le monde souriait, ou personne. La seconde file était surtout composée d'hommes seuls, qui tentaient leur chance en tant qu'étudiants ou hommes d'affaires, ou encore de femmes enceintes, bien habillées, qui avaient l'air de sortir de chez le coiffeur et dansaient d'un pied sur l'autre dans la queue, essayant de ne pas avoir l'air trop impatientes. Elles allaient être mères de futurs citoyens américains, après tout, et, dans leurs mains manucurées, elles tenaient les références d'hôpitaux texans assurant qu'elles avaient les moyens d'accoucher sur le sol américain.

Dans les deux files qui se trouvaient de l'autre côté de la rue, on ne quittait pas des yeux les gardes placés devant l'ambassade dans l'attente d'un geste du poignet, d'un hochement de tête, de tout ce qui pouvait les inviter à traverser et avancer d'une case.

Mais la progression était lente. Il fallait passer d'une file d'attente à une autre, et des heures s'écoulaient avant qu'un garde ne crie votre numéro, vous signalant ainsi qu'il était temps d'entrer dans une autre pièce. Des tireurs étaient stationnés sur le toit, en embuscade derrière leurs fusils de précision Barrett. Aman Erum n'arrivait pas à voir s'ils étaient pakistanais. Les hommes costauds à l'air impressionnant qui patrouillaient dans le périmètre de sécurité de l'ambassade et promenaient des bergers allemands, aussi imposants qu'eux, au bout d'une laisse courte pour les amener à renifler des chevilles et à baver sur des sacs à main, semblaient être du coin. Aman Erum les regarda passer, espérant que leurs bêtes ne viendraient pas salir son costume tout neuf. Devant lui, une jeune femme en jean et boots à hauts talons sourit à l'un des maîtres-chiens tout en discutant sur son téléphone portable.

— Ils sont tellement mignons, l'entendit dire Aman Arum en anglais. Oui, immenses. Non, *yaar*, pas des Pakistanais, des marines, je crois, un truc de ce genre.

Aman Erum était gêné. Les femmes de Mir Ali qu'il connaissait ne parlaient pas comme ça – de façon provocante, osée – sur aucun sujet et surtout pas des hommes. Samarra n'aurait jamais parlé ainsi. Il se sentit rougir tandis que la jeune femme poursuivait sa conversation téléphonique, jusqu'à ce qu'un garde avec une fossette à la joue droite et des dents légèrement de travers, qui patrouillait, s'approche suffisamment pour engager la conversation. Aman Erum s'était trompé. Le patrouilleur était blanc, un étranger, mais même, Aman Erum avait du mal à voir la différence entre eux. Bien que Pakistanaise, la femme en jean, avec son sourire destiné à tout le monde et sa désinvolture, avait l'air plus étrangère que le garde américain. Lorsqu'elle parlait, son accent était presque plus prononcé que celui du garde, presque plus américain.

Aman Erum remarqua qu'avec ses boots à hauts talons, elle faisait presque trente centimètres de plus que lui. Mal à l'aise, il changea de position, se redressant au maximum, lissant son costume déjà froissé. Il ne parvenait pas bien à situer les gens. Pendant un court instant, là, debout dans le froid, sous les yeux des maîtres-chiens et des tireurs d'élite, Aman Erum se demanda quelle idée la femme en jean et son garde étranger se feraient de lui. Il fut étonné d'y attacher autant d'importance. Sur le seuil de l'ambassade américaine, cela eut tout à coup une très grande importance.

Plus tard, ayant reçu son numéro d'ordre, Aman Erum passa le contrôle de sécurité et se glissa à l'intérieur du bâtiment tapissé de vieilles affiches des criminels les plus recherchés – des jeunes hommes de couleur avec des barbes si fines que les copies répétées de leurs traits les faisaient pratiquement disparaître –, le montant des récompenses clairement indiqué en ourdou, et accéda à la salle de prise d'empreintes digitales où on lui donna un peu de crème à appliquer sur ses mains sèches avant de les présenter au lecteur biométrique.

Il n'y avait pas de radiateurs, juste un récepteur de télévision, branché sur une chaîne d'informations locale, le son coupé.

Aman Erum trouva surprenant qu'une ambassade aussi puissante ne dispose pas de radiateurs pour ses visiteurs qui, en ce matin de décembre, avaient déjà passé quatre heures à se traîner jusqu'à la section des visas. Son costume en polyester de chez Zulfikar lui parut bien mince, comme prêt à se désintégrer de froid et d'épuisement lui aussi. Il n'avait pas écouté le tailleur qui lui avait conseillé de doubler la veste avec un tissu non synthétique. Il craignait que cela ne le fasse paraître plus gros, disgracieux.

Et Aman Erum n'avait pas pris de châle pour s'envelopper les épaules. Il pensait que ça ferait provincial, que ça ne conviendrait pas. Il portait de fines chaussettes, des chaussures de ville, pas de gants. Une tenue appropriée pour une demande de visa.

Il voulait montrer au fonctionnaire qui le recevait qu'il était déjà à mi-chemin vers l'Amérique. Mais il avait froid. Il se maudit lui-même d'abord, puis l'ambassade pour son manque de chaleur.

Il pénétra enfin dans la salle d'entretiens, l'avant-dernière pièce avec ses rangées de chaises en plastique où s'entassaient des jeunes gens engoncés dans leurs costumes, des grands-pères et des filles seules en pull à capuche avec un anneau dans le nez, l'air plus modeste et plus maussade que la femme en jean et boots à hauts talons. Aman Erum la chercha des yeux. Elle était assise devant, face aux guichets vitrés, en conversation sur son téléphone portable et souriant au personnel de l'ambassade. Aman Erum remarqua qu'il n'y avait pas de radiateurs ici non plus. Mais les employés, qui vous recevaient derrière un guichet à double vitrage, portaient des tee-shirts et des chemisiers de soie. Ils avaient l'air d'avoir chaud, presque trop.

Sur l'écran de télévision fixé au mur, une présentatrice muette rejetait ses cheveux en arrière et remuait les papiers qui se trouvaient sur son bureau tandis que les caméras l'abandonnaient pour une vue aérienne des frontières montagneuses du Pakistan.

« Quatorze personnes ont été tuées par la frappe de drones US Predator dans un village de la province de la frontière du Nord-Ouest, au nord de Bannu. »

Aman Erum lut le bandeau qui défilait silencieusement, le cœur battant plus vite. Il respira lentement, attendant de voir si des nouvelles de Mir Ali allaient suivre, mais il n'en fut rien. Il pensa à Samarra et essaya de calculer le temps que durerait leur séparation. Il ne voulait pas la quitter, mais il n'avait pas le choix.

« Le président Obama déclare que son pays va frapper le terrorisme partout où ses tentacules apparaîtront. Le président pakistanais approuve l'opération et confirme que l'alliance demeure solide. »

Aman Erum se revit bien calé dans le confortable siège du bus du parc d'activités. Le contrôleur avait ri en parlant de ces gens qui promenaient leurs chiens. Tous ces gens dans la capitale, les chauffeurs de bus, les contrôleurs, les ouvriers, les filles en pull à capuche et en jean, n'étaient pas chez eux au cœur même de leur propre pays.

Ce n'était pas comme à Mir Ali ; c'était pire ici. L'armée était une force à la fois invisible et omniprésente. À Mir Ali, les jours d'importantes fêtes religieuses, on entendait les véhicules blindés se faufiler à l'intérieur du marché, prendre position aux carrefours les plus fréquentés, filtrant la foule des fidèles, au cas où. Les rangers noires des militaires laissaient des traces à l'extérieur des maisons dans lesquelles ils pénétraient tard dans la nuit, traînant après eux des présumés militants pour des interrogatoires au quartier général. Les pieds des suspects n'étaient jamais chaussés ; ils laissaient de profonds sillons dans la terre, attestant qu'ils n'avaient pas marché, mais avaient été traînés dans la poussière.

La politique ne connaissait pas de répit à Mir Ali, pas plus que la rébellion.

Mais ces gens, à Islamabad, vivaient en marge de leur propre pays, pour ne pas déranger leurs hôtes. Ils vivaient comme entre parenthèses, avec des horaires ne risquant pas de gâter l'exercice quotidien ni le paysage dont pouvait jouir un chien de diplomate lors de sa promenade matinale. Aman Erum n'avait pas ri avec le contrôleur.

Toute la journée, il s'était efforcé de s'intégrer, de jouer le rôle exigé, de paraître assimilé, et à présent il se rendait compte que c'était vain. Jamais il ne leur ressemblerait, ni ne parlerait comme eux. Mais l'Amérique représentait tant pour lui. Aman Erum ne se laisserait pas isoler par Mir Ali ; il ne laisserait pas le Pakistan le retenir. Ce visa, il le voulait trop. Il ne se laisserait pas exclure. Il travaillerait plus encore à s'adapter ; à se débarrasser de ce qui était étranger en lui – son accent, son costume inadapté, sa maladresse face à ces femmes en boots à talons hauts et en pull à capuche.

Le numéro d'Aman Erum, le cinquante-sept, fut appelé au mépris de l'enchaînement logique des nombres trois heures après l'heure de son rendez-vous et neuf heures après son arrivée dans la capitale.

Affamé et fatigué, il s'avança vers le guichet vitré où il allait être interrogé par une femme aux cheveux bruns et ternes. Elle parlait un ourdou hésitant et maladroit et n'interrompit le feu roulant de son interrogatoire que pour boire à grand bruit à même une cruche en plastique remplie de glaçons qui tintaient chaque fois qu'elle la soulevait vers son visage épais et quelconque.

Aman Erum répondit aux questions sur ses études, son diplôme, ses espoirs quant à une formation commerciale plus complète dans le pays qui était le berceau du capitalisme mondial, ses aspirations, sa compréhension du rêve américain. À première vue, il paraissait calme. Personne ne pouvait entendre les battements de son cœur derrière le double vitrage de séparation. Il utilisa tous les éléments de langage acquis en cours de communication des affaires afin de montrer ses connaissances du système fiscal américain. Il donna en toute confiance des précisions sur ses origines, le nom de jeune fille de sa mère, les histoires familiales, tant du côté paternel que maternel, les changements de carrière non suspects de son père et ainsi de suite.

Pendant combien de temps le candidat pensait-il étudier et travailler aux États-Unis, combien avait-il de frères et sœurs, quels étaient ses projets de mariage, les raisons de son actuel célibat ?

Que pensait-il du 11 Septembre ?

Aman Erum baissa les yeux. Il avait de la boue sur ses chaussures. Il prit une profonde inspiration et essaya de se rappeler où il pouvait bien les avoir salies ainsi.

Deux avions avaient heurté des immeubles étrangers, voilà ce que les gens de Mir Ali avaient entendu dire. Ce qu'ils savaient de la nouvelle guerre, ce qu'ils avaient compris des événements ayant transformé une fois de plus leur ville en champ de bataille se résumait à ceci : les hommes qui avaient piloté ces avions étaient des héros.

Mais ils avaient aussi entendu dire que l'empire blessé menait une guerre contre l'islam. Que cette guerre était une manifestation de ce que l'empire appelait la justice infinie – c'était une justice infinie lorsqu'ils étaient aux commandes des avions, mais pas lorsqu'ils étaient eux-mêmes victimes d'une violence tout aussi juste.

Ils avaient entendu dire que les hommes ayant piloté ces avions étaient originaires d'Arabie Saoudite et d'Égypte, mais que l'empire allait d'abord frapper l'Afghanistan. Quand, un matin d'octobre, on apprit par la radio et les chaînes de télévision locales que l'Afghanistan avait été frappé et qu'il était aux prises avec une occupation étrangère – bien qu'on ait remarqué qu'aucun de ceux qui étaient à bord de ces avions enragés n'était afghan –, les hommes de Mir Ali comprirent que l'État du Pakistan avait apporté son aide à l'attaque de ses frères.

Le Pakistan avait ouvert son espace aérien à l'empire, l'aéroport de Quetta avait été fermé afin que les soldats étrangers puissent l'utiliser comme base de fortune, les fichiers des services de renseignements leur avaient été mis à disposition et les agences opérationnelles obéissaient au doigt et à l'œil aux Américains.

Aman Erum leva les yeux et opina gravement du chef devant le visage rond de la fonctionnaire des visas.

— Ç'a été une chose effroyable, dit-il, effroyable.

Elle lui demanda, entre deux gorgées, ce qu'il pensait de la chute des talibans.

Aman Erum se rappela Hayat adolescent, avec ses longs cheveux mal peignés, suffoquant de colère. Avant même que ne leur soit traduit le « soit vous êtes avec nous, soit vous êtes contre nous », Mir Ali avait choisi son camp. Ils seraient contre.

— Nous, les hommes de Mir Ali, savions que le Pakistan finirait par se montrer sous son vrai jour, avait crié Hayat à Aman Erum, à travers la chambre d'adolescents des frères, où Sikandar était étendu à plat ventre, ses livres devant lui. On savait très bien qu'il entrerait en lice dans ce conflit honteux et sanglant, comme il l'avait fait lors de la première aventure afghane, dans les années 1980 ; sauf que cette fois ce serait ouvertement. « Avec ou contre nous », s'était esclaffé Hayat. Contre vous, bien sûr, jusqu'à ce qu'on vous ait brisés.

Aman Erum avait préféré ignorer les fanfaronnades de Hayat ; son frère était tellement soupe au lait.

— Depuis quand leur es-tu aussi opposé ? lui avait demandé Aman Erum, avec un clin d'œil à l'adresse de Sikandar, qui n'avait pas eu l'air d'apprécier d'être dérangé.

— Opposé ? avait rétorqué Hayat, haussant le ton, d'une voix qui n'avait pas encore mué. Opposé ? Mais, Aman Erum, ce sont leurs clients. Qui en a fait la septième armée du monde, à ton avis ?

— Cinquième, avait corrigé Aman Erum, réprimant un sourire.

— Je comprends, dit maintenant Aman Erum sur un ton solennel en s'adressant à la vitre de séparation, que nous traversons des temps difficiles. Il est regrettable que l'Amérique soit obligée de faire cette guerre, mais il y va de notre sécurité.

Avec vous. Nous sommes avec vous.

Treize jours plus tard, Aman Erum reçut un courrier l'informant qu'un visa de travail et d'études de cinq ans lui avait été accordé, avec un addendum lui demandant de venir pour un entretien supplémentaire.

Apprenant la nouvelle, la mère de Samarra vint leur rendre visite. Malalai forma des vœux pour la réussite du voyage d'Aman Erum dans ce continent lointain et lui donna de l'argent, quelques centaines de roupies glissées dans une enveloppe blanche.

Samarra et Aman Erum se retrouvèrent plus tard, seuls, derrière la mosquée de la rue Ibn-e-Qasim et firent quelques pas ensemble, pour parler des cinq années à venir. Les prières venaient de se terminer et les ruelles derrière la mosquée étaient désertes. Un garçon en *shalwar kameez* blanc, un joli bonnet de prière blanc lui aussi sur la tête, buvait à un robinet à l'extérieur de la mosquée. Après avoir avalé trois gorgées, il ôta ses sandales et entreprit de se laver les orteils avec précaution – un retardataire, il allait devoir prier seul. Gêné, il évita de regarder le couple pour se concentrer sur ses pieds pendant qu'Aman Erum et Samarra poursuivaient lentement leur promenade.

— C'est pour notre avenir, dit Aman Erum non sans une certaine culpabilité.

Il ne pouvait pas emmener Samarra avec lui, c'était exclu. Elle sourit et se pencha contre lui. Plusieurs couches de vêtements enveloppaient sa frêle silhouette, ajoutant une épaisseur matelassée à ce qui n'était que l'ombre d'un corps. Elle portait un *churidar* serré aux chevilles et s'était tiré les cheveux en arrière pour qu'Aman Erum puisse voir son visage. Samarra sentit son cœur ralentir, au contraire de celui d'Aman Erum qui s'emballait dès qu'il était nerveux.

Elle parla doucement, à l'oreille gauche d'Aman Erum.

— Tu ne me manqueras pas. Je ne remarquerai même pas ton absence.

Il sourit, veillant à ne pas rire pour ne pas risquer de déloger le menton de Samarra appuyé contre son épaule.

C'était l'heure du dîner, les ruelles étaient silencieuses. Un corniaud squelettique, le poil d'un brun clair galeux et bouffé par plaques, les côtes saillant sous la peau, courait derrière une petite fille en sandales en plastique rouge. Une fenêtre s'ouvrit au-dessus de leurs têtes et sa mère l'appela :

— Tashreen, remonte. Tashreen.

La petite fille se cacha de sa mère, se plaquant le dos au mur de l'immeuble pour ne pas être vue. Elle s'accroupit et caressa le cou du chien.

— Tash, appela sa mère par la fenêtre, ne pouvant voir sa fille en dessous d'elle.

Le chien posa ses oreilles dévorées par les puces sur les genoux de Tash. La petite fille aux sandales en plastique rouge pencha la tête pour embrasser la truffe humide et collante du chien. Quelque part, non loin de là, de l'eau tombait goutte à goutte d'un drap mis à sécher sur une balustrade.

— Pendant que tu ne penseras pas à moi, est-ce que tu te rappelleras que c'est pour nous que j'y vais ? Pour qu'à mon retour, lorsque ton père sera rentré, il n'ait pas d'objections à notre mariage, qu'il voie que je peux subvenir à tes besoins ailleurs qu'à Mir Ali, où on ne peut même pas prendre une tasse de thé dehors ou conduire nos enfants à l'école en toute sécurité.

Samarra remua tout en veillant à ne pas quitter sa place au creux de l'épaule d'Aman Erum. Elle n'aimait pas qu'on évoque Ghazan Afridi. Elle se rappela Aman Erum chargeant le pick-up bleu ciel. « Peut-être des années », avait-il dit, avant de monter dedans et de s'éloigner. « Peut-être des années. »

— Je ne veux pas quitter Mir Ali, dit Samarra. Je ne veux pas marcher dans des rues qui n'ont aucune mémoire de ce que j'y ai vécu. Je veux que toi et moi accompagnions nos enfants à l'école dans des rues que nous connaissons par cœur, des rues qui nous connaissent depuis notre enfance.

Elle sentit ses épaules s'affaisser, son dos se voûter légèrement. Elle ajouta :

— Et je prends déjà mon thé dehors. Qui m'en empêcherait ?

Aman Erum rit, fort cette fois. Il lui prit le visage dans ses mains. Il dit à Samarra qu'il l'aimait, qu'il l'aimerait toujours.

Elle aurait préféré qu'ils puissent se marier et signer les papiers du mariage avant qu'il ne franchisse l'Atlantique, mais elle garda ses souhaits pour elle. Le cœur d'Aman Erum battait trop vite, désormais, pour qu'il se laissât ralentir par quoi que ce soit. Elle pouvait l'entendre contre sa poitrine. Il était prêt à partir.

Le chauffeur de taxi brise le silence d'Aman Erum.

— Ils disent à la radio qu'il y a encore eu trois morts aujourd'hui.

Il n'a pas besoin de préciser qui a fait ça, ou qui sont les victimes. Son intonation suffit.

— Où ça ? demande Aman Erum.

— À un poste de contrôle à côté du marché Sher-Shah-Ali.

— À côté de la mosquée ?

— Pas loin. Ils ont toujours un œil sur cette *jumat*, pas vrai ?

Aman Erum sent son cœur s'emballer à nouveau.

— Qu'est-il arrivé aux soldats ?

Le chauffeur de taxi sourit, découvrant ses dents tachées de bétel.

— Ce sont nos troupes, *zwe*, nos troupes qui les ont abattus.

2

Hayat reste un moment assis sur la moto ; il lâche la pédale de frein, puis pose le pied sur le sol. Il n'a pas entendu la pluie ce matin, quand il s'est réveillé. Mais là, dans l'allée, une bruine lui tombe sur les épaules. Il se passe les mains dans les cheveux ; des cheveux qu'il a rasés si tôt ce printemps qu'à présent ils ondulent en boucles sur sa nuque. Hayat regarde la vapeur qui, à chaque respiration, s'exhale en spirale de sa bouche comme de la fumée.

Il dégage la béquille et éteint les lumières de la moto, bien amochée par trois années d'allées et venues dans les rues de Mir Ali et d'excursions sur les routes battues par les vents des environs de Peshawar. Hayat en descend et se dirige vers la maison.

Sa mère, Zainab, est encore assise à la cuisine, la tête dans les mains. On dirait qu'elle pose pour une photo d'elle plus jeune, ce geste dissimulant son visage et son âge. Elle a les yeux fixés sur un portrait de son pauvre mari, Inayat, accroché au mur couvert de suie, au-dessus du fourneau. Le radiateur électrique et trois brindilles enflammées projettent une lueur orange sur son visage.

— *Morey*[5] *?* dit Hayat, rompant la communion silencieuse de ses parents.

— Oui, *zwe* ?

Le visage de sa mère s'illumine peu à peu à la vue de son cadet aux joues rougies par le froid et le crachin matinal.

— Tes yeux, lui dit-elle, qu'est-il arrivé ?

Hayat ignore la question. Il frotte involontairement ses yeux injectés de sang.

— Tu es sûre de ne pas vouloir te rendre à la prière avec mes tantes aujourd'hui ?

Hayat se demande pourquoi il a fallu qu'il revienne à l'intérieur, ré-acclimatant ainsi son corps à la chaleur régnant dans la maison, avant de remonter sur sa moto où la morsure du froid se fera sentir malgré plusieurs couches de vêtements – un *baniyan*[6] sous son *shalwar kameez* et une veste chaude, une vieille, en cuir, ayant appartenu à Aman Erum – et cela, rien que pour entendre sa mère poser cette question.

Elle sourit.

— *Kha, zwe,* je suis trop vieille, maintenant, pour faire toutes ces prosternations chaque semaine.

Debout devant sa mère, Hayat se passe la main dans les cheveux mouillés. Lorsqu'il baisse la tête, son menton touchant presque sa poitrine, une goutte d'eau tombe de l'arête de son nez. Hayat la regarde atterrir sur la nappe en plastique.

— Qu'est-ce qu'il y a, *zwe* ? demande sa mère, interrompant cet instant, qui semble suspendu dans le temps.

---

5. « Mère » en pachtoune.
6. Une sorte de maillot de corps, en ourdou.

Hayat sort sa calotte de prière de la poche de sa veste et la pose sur la table. Qui porterait cette calotte en crochet, ce petit couvre-chef ajouré qui ne couvre rien du tout alors qu'il crachine dehors ? Il sort de la cuisine, va chercher un *pakol* accroché à la patère proche de la porte d'entrée et, roulant les bords dans ses mains, il revient à la cuisine où sa mère a tendu le cou et s'est tortillée sur sa chaise pour le suivre des yeux.

— Tu crois qu'il me pardonnera ? murmure-t-il, s'appuyant contre le chambranle de la porte, sans s'installer confortablement au cas où sa mère répondrait par la négative et où il serait obligé de sortir aussitôt pour repartir sur sa moto.

— Mieux vaut éviter de parler de ces choses-là, répond sa mère, se frottant une paume contre l'autre comme pour masser ses mains arthritiques. Ton père ne m'a jamais expliqué son travail ; il ne m'a jamais vraiment dit ce qu'il faisait ni pourquoi il le faisait. Comment pourrais-je te conseiller maintenant, *zwe* ? (Zainab hoche la tête pour elle-même et se concentre sur ses mains.) Je préfère en savoir le moins possible.

Hayat se laissa glisser le long du mur jusqu'à se retrouver accroupi sur le sol de la cuisine.

— La vie est à nous. Il serait temps d'arrêter de vivre comme des zombies. Nous ne sommes plus les mêmes qu'il y a sept mois, ou trois ans. Il n'y a pas d'autre issue. On continue de se battre dans l'idée qu'il y en a une, *Morey*, mais non, il n'y en a pas d'autre. Je n'en vois pas d'autre. (Hayat marque un temps.) Je l'ai trahi.

La voix de Hayat est forte ; sa mère se le rappellera plus tard dans l'après-midi. Elle est résolue et ferme, ne tremble ni ne vacille.

— Comment peux-tu dire une chose pareille, toi entre tous ?

— C'est la vérité.

La conversation est interrompue par l'entrée discrète du cuisinier qui frotte une allumette et allume le fourneau. Hayat prend une profonde inspiration.

— Mais est-ce qu'il me pardonnera ?

Le cuisinier répand de la farine sur le plan de travail avant d'y aplatir la pâte des *chapatis* avec les mains, renonçant au rouleau à pâtisserie.

Zainab tend le bras, mais les genoux de Hayat sont trop loin pour qu'elle puisse les toucher.

— Il se fermait toujours dès qu'on abordait ce sujet, tu le sais bien. Je ne peux pas parler pour lui. Peut-être y a-t-il une logique dans ce que tu dis. Sois patient.

Hayat hoche la tête.

— *Zoo*, Hayat, dit-elle.

Elle donne une petite tape sur la table de sa main tendue. Il ne s'est pas rapproché.

En revenant dans la cuisine, Hayat avait juste voulu être allégé du poids de sa culpabilité, qu'on lui dise : « Ne te mets pas dans cet état, tout va bien. À quoi bon discuter à n'en plus finir ? Il n'y a pas de problème. » Il aurait voulu qu'elle lui dise : « Oh, comme vous êtes sensibles, vous, les jeunes », et aussi qu'il perdait son temps et qu'il était en retard pour ses prières. C'est la seule chose qu'elle finit par lui dire.

Hayat se relève et rajuste son *pakol*, une taille trop petite pour sa tête. Il se penche et touche de ses lèvres le front de sa mère, effleurant, à défaut d'embrasser, la peau ridée de Zainab. Il prend sa mère dans ses bras.

Zainab rit et déplace ses doigts noueux sur le cou de son fils, lui caresse les cheveux sur la nuque, respire l'odeur du savon au citron qui, en séchant, lui a laissé une trace blanche derrière l'oreille.

— *Za tasara mina kawam,* articule sa mère en pachtoune à l'oreille au parfum citronné de son fils. Je t'aime.

Hayat l'entend.

— *Wale ?* lui souffle-t-il en retour. Pourquoi ?

3

Sikandar est en train de sortir la petite Suzuki grise de l'allée quand son téléphone sonne, vibrant dans sa poche de poitrine. Il tient le volant d'une main et farfouille dans sa poche pour attraper son téléphone. Le numéro de l'appelant est inconnu, comporte bon nombre de trois, aucun nom attaché.

— Allô, *kha* ? Oui ? répond-il, prudent.

— Vous êtes le mari de Mme Mina ? s'enquiert la voix à l'autre bout du fil.

Quoi encore ? se demande Sikandar, jetant un coup d'œil furtif à la pendule digitale du tableau de bord, qu'est-ce qu'elle a encore fait – il n'est même pas midi ? En ne voyant pas Mina au petit déjeuner, il avait su que quelque chose n'allait pas.

Sikandar fait oui de la tête, puis s'éclaircit la voix pour effacer ce hochement honteux et rétablir son autorité face à son interlocuteur.

— Oui, c'est moi, en quoi puis-je vous aider ? (Il essaie d'être courtois, modeste.) Je suis sur le point de partir à la prière, là...

— Si vous pouviez faire un saut au 66 C de la rue Raj-Hyderi, à côté de la station-service, ça vaudrait mieux.

Sikandar pousse un grand soupir et enclenche la marche arrière. La pluie qui s'accumule sur le pare-brise lui bouche la vue. Le téléphone maintenu collé à l'oreille par l'épaule, il cherche la commande des essuie-glaces.

— Est-ce que ça ne peut pas attendre la fin des prières ? Je dois d'abord passer à mon travail, avant que tout s'arrête à l'hôpital.

Il ne dit cela que pour sous-entendre qu'il est quelqu'un d'important. Il travaille à l'hôpital, il est médecin.

Et ce n'est pas un établissement mineur. L'hôpital public Hasan-Faraz a deux étages, une aile affectée aux urgences, une unité de soins intensifs, un service de chirurgie pédiatrique, un service externe d'ophtalmologie et une maternité, mais il est encore géré comme un dispensaire. Les médecins, les chirurgiens qualifiés et les consultants, collègues de travail de Sikandar et attachés comme lui à l'établissement, ont tous demandé des postes en radiologie en Nouvelle-Zélande ou en pharmacie à Manchester. Ils ont depuis longtemps opté pour des pays plus rémunérateurs, moins déchirés par toutes sortes de conflits.

Les fournitures médicales arrivant à l'hôpital public Hasan-Faraz, quand elle arrivent – quand la sécurité est assurée et que les livraisons peuvent se faire –, viennent du Baloutchistan : des pilules sorties de leurs boîtes, vendues en plaquettes avec une date de validité grattée sur la feuille d'aluminium, politesse du distributeur chinois qui tient à cacher ce que personne n'ignore – que les médicaments sont plus vieux que la plupart des médecins. Des sirops pour enfants qui se figent dans leurs bouteilles de verre sombre et des antibiotiques bien au-delà de leur date limite prescrits aux personnes âgées et aux infirmes. Le mot « antibiotique » à lui seul est magique. Aucun patient à qui l'on en prescrit n'oserait s'enquérir des effets potentiels de l'absorption à double dose d'antibiotiques périmés.

Les vaccins contre la polio arrivent à l'hôpital hors de la chaîne du froid, retenus pour inspection par le neveu d'un politicard qui a été nommé responsable des douanes portuaires. L'hôpital public Hasan-Faraz a tout un stock de vaccins, contre le tétanos, la rougeole, la tuberculose, les oreillons, qui sont totalement inefficaces en raison de retards administratifs et d'exposition à la chaleur, mais relativement récents et apparemment encore bons, si bien que les médecins tapotent du doigt les bras potelés des bébés et le leur injectent quand même.

Bref, Sikandar travaille à l'hôpital. Ses seules références médicales auraient dû calmer l'inquiétude manifestement de plus en plus vive à l'autre bout du fil, adoucir le ton de son interlocuteur et le remplacer par la déférence à laquelle les médecins de Mir Ali sont habitués.

— Si ça pose un problème, bien entendu, je peux venir, mais si vous pensez que ça peut attendre...

La voix au téléphone, toujours anonyme, lui dit qu'il est préférable qu'il vienne sans tarder – les prières de *dreham* n'ont pas encore commencé et il vaudrait mieux que le mari de Mme Mina vienne la récupérer avant.

Il est déjà en route, dit-il au téléphone. Sur le trajet qui mène à la maison proche de la station-service, Sikandar embraye avec une telle nervosité qu'il cale à plusieurs reprises.

Neuf mois que cela a commencé. Avant cela, avant le printemps, il n'y avait eu aucun signe du moindre déséquilibre. La première fois, Sikandar était de garde. Il s'était réfugié dans la salle de détente pour faire une pause, reposer ses pieds après quatorze heures passées debout, lorsque son téléphone avait sonné. Sans entrée en matière ni échange de propos aimables, une voix de femme en pleurs à l'autre bout du fil avait demandé à Sikandar de venir chercher sa femme aux obsèques de son neveu.

Après sa sieste, Mina, qui n'avait fait part d'aucun projet particulier à son mari ce jour-là, s'était levée et, ayant mis un *shalwar kameez* de lin blanc, puis s'étant couvert la tête d'un léger *dupatta*, avait ordonné à Jahanzeb – le garçon de cuisine, qui s'occupait des achats de légumes et des provisions hebdomadaires pour la maison, et qui était le seul à pouvoir conduire quand les frères n'étaient pas là – de l'emmener à une adresse qu'elle avait découpée dans le journal du matin.

L'annonce nécrologique était insérée dans un petit encadré, en bas, en page trois. Il n'y avait pas de photo – soit que la famille n'ait pas eu les moyens de payer le supplément, soit qu'ils aient manqué de temps pour passer en revue les photos au format identité prises au fil des années. On annonçait simplement que le *namaz e janaza* se déroulerait dans l'après-midi au domicile de la famille du garçon décédé.

Jahanzeb prit donc place dans la voiture avec Mina, pensant qu'il devait y avoir une urgence pour qu'elle ait ainsi besoin de lui. Il avait du mal à maîtriser la voiture et conduisait de manière convulsive – il n'avait pas son permis. C'était tout juste s'il était capable de conduire un vélo.

Une fois arrivés à la maison du défunt, Mina dit au jeune garçon, dont le visage était clairsemé de duvet, qu'il pouvait la laisser, qu'elle rentrerait toute seule. Il imagina qu'elle allait retrouver des amis aux obsèques et qu'ils la raccompagneraient, mais ne posa pas de questions – veiller sur Mina ne faisant pas partie de ses responsabilités. Il fit demi-tour, content de pouvoir rentrer.

Par décision fédérale, les habitants de Mir Ali n'avaient pas l'autorisation de se réunir par groupes de trois ou plus dans un lieu public, mais la République islamique ne pouvait empêcher que les gens rendent un dernier hommage à leurs défunts. Si bien que les obsèques, les enterrements et les soirées de prières étaient devenus des lieux de rencontre pour la guérilla. Les défunts eux-mêmes étaient mobilisés dans le combat contre le pouvoir central.

Pendant qu'on roulait les corps non lavés dans un *kafans* blanc, les hommes discutaient à voix basse de ce que l'avenir leur réservait. Les femmes, qui versaient le thé avec le samovar familial et servaient des sorbets aux amandes aux amis et parents endeuillés, faisaient circuler des messages sous les soucoupes et entre les plis des serviettes de table à double épaisseur.

La perspective d'être pris dans la bataille de Mir Ali était encore moins plaisante que celle de veiller sur Mina. Jahanzeb ne s'intéressait ni à l'une ni à l'autre. Il s'éloigna de la maison, regardant par-dessus son épaule pour voir si quelqu'un l'avait vu ou avait noté l'immatriculation de la voiture.

On raconta plus tard à Sikandar que Mina était entrée et s'était dirigée vers les parents du garçon défunt, les reconnaissant à ce qu'ils devaient avoir à peu près son âge et celui de Sikandar.

Ce n'était pas facile à deviner. La maison était pleine de gens en deuil, les yeux gonflés et rougis. Mais Mina savait ce qu'elle cherchait. Elle s'avança à grands pas vers la mère éplorée et l'étreignit.

— Je suis Mme Mina, lui dit-elle, puis elle se tourna vers le père et lui serra la main, à la grande surprise de celui-ci. Je suis Mme Mina, répéta-t-elle.

Elle chercha ensuite les grands-parents du garçon, allant vers les gens rabougris et chenus, rajustant son *dupatta* et annonçant « Je suis Mme Mina », en tournant autour de ceux dont elle pensait qu'ils faisaient partie de la famille élargie du garçon.

À ces obsèques, personne ne connaissait Mina ; personne, en entendant son nom, ne se rappela avoir partagé quoi que ce soit avec elle, ou avoir une histoire familiale commune. C'était une étrangère pour toutes les personnes présentes.

Après avoir salué les membres de la famille et leur avoir présenté ses condoléances, Mina prit place parmi les femmes assises en tailleur par terre qui jetaient des grains de chapelet polis au centre d'un drap de lit blanc, psalmodiant la prière des morts à chaque offrande. C'étaient parfois des noyaux de dattes, ou des haricots rouges non cuits, mais le plus souvent des graines de tamarin brun foncé. Mina avait lu des histoires sur les gens qui utilisaient ces différentes sortes de grains de chapelet et de haricots. Seuls les grippe-sous se servent de haricots, vidant les réserves de leur cuisine plutôt que d'aller à la mosquée du coin pour en rapporter les graines de tamarin légèrement douces-amères. Les longs et fins noyaux de dattes avaient aussi leurs adeptes, mais il fallait que ce soit la saison, évidemment, à moins que la mosquée n'en ait une réserve importante. Parmi les noyaux, Mina avait ses préférences bien qu'elle ait appris à ne pas parler de ça aux obsèques. Elle prit une poignée de grains et écouta ceux qui l'entouraient.

Les femmes se rapprochaient les unes des autres pour chuchoter et parler du garçon. Karam, il s'appelait, disaient-elles, et Mina savait que c'était exact pour l'avoir lu sur le faire-part paru dans le journal qu'elle avait dans son sac à main. Le corps de Karam avait été lavé contre la volonté de son père, murmura une femme corpulente, moulée dans son tchador.

Les femmes claquèrent la langue, hochèrent la tête. On ne doit jamais laver le corps d'un *shaheed,* dit quelqu'un, exprimant haut et fort la désapprobation des femmes. C'était sa mère qui avait insisté. Elle avait défailli en voyant la dépouille de son fils. Elle n'avait pas pu supporter de voir son enfant comme ça, la peau bleue, couvert de sang et de poussière. Mais ce n'était tout de même pas bien de l'avoir lavé alors que les apparences en ce bas monde n'ont aucune importance pour les martyrs qui vont au paradis.

Toutes les femmes en convinrent.

— Je suis Mme Mina, intervint Mina. Oui, oui, ce n'est pas bien du tout. Les *shaheeds* sont des cœurs purs, comme les saints.

Retenant leur souffle, toutes les femmes regardèrent Mina d'un air soupçonneux. Personne, jusque-là, n'avait fait attention à elle ni à la poignée de grains de chapelet qu'elle avait dans la main.

— Vous êtes une amie de la famille ? s'enquit prudemment une des femmes.

— Je suis Mme Mina, répéta-t-elle. Où a-t-on retrouvé le corps ? C'est la police qui l'a trouvé ? Ou bien est-ce que ce sont ses camarades qui l'ont ramené à la maison ?

Les bégums se hérissèrent. Elles étaient au courant de tous les détails relatifs à l'histoire de Karam et prêtes à révéler tout ce qui se disait dans la famille, y compris les rumeurs d'obsèques, mais il y avait quelque chose de bizarre chez Mme Mina. D'anormal, même, diraient-elles plus tard.

Mina ne se laissa pas pour autant intimider. Voyant que les femmes n'étaient pas prêtes à livrer d'informations nouvelles sur la mort de Karam ni sur la restitution du corps, elle se leva, épousseta ses vêtements, posa les grains de chapelet sur la table et se dirigea vers un groupe de jeunes. Ils pleuraient et leur récitation des versets du Coran incitant à la bravoure et au stoïcisme faisait écho à celle des adultes.

— Je m'appelle Mme Mina, dit-elle à la plus âgée des filles, peut-être bien la sœur de Karam, pensa-t-elle.

C'était la cousine de Karam et, comme Mina la questionnait avec insistance sur la nature des blessures par balles de son cousin, elle se mit à pousser des cris.

La mère de cette fille, la tante de Karam, l'entendit à l'autre bout de la maison, depuis la cuisine où elle aidait à déballer les plats envoyés par les voisins, respectant les préceptes coraniques d'assistance alimentaire à la famille éprouvée pendant la période de deuil. La tante se précipita et trouva sa fille en train de hurler pendant que, plantée devant elle et ne se rendant pas compte de ce qu'elle avait provoqué, Mme Mina pianotait des doigts sur la paume de son autre main comme si elle attendait que la fille cesse de gémir et réponde à ses questions.

C'est à ce moment-là que les gens s'avisèrent vraiment de la présence de Mina et que des membres plus ou moins proches de la famille du jeune défunt furent appelés en renfort pour, avec plus ou moins de patience, se débarrasser de cette femme qui s'était incrustée dans ces obsèques.

Ils l'entraînèrent dans une des chambres inoccupées et la persuadèrent de leur donner le numéro de téléphone de son mari. Ils appelèrent Sikandar à son travail, exigeant qu'il vienne chercher sa femme qui avait semé la zizanie en ce jour où l'âme de Karam allait s'élever paisiblement au ciel, accompagnée des prières de ses proches.

Sikandar quitta précipitamment l'hôpital, proche de l'université, la seule de Mir Ali, où Mina enseignait dans le département de psychologie avant de cesser de se rendre à son travail pour aller s'asseoir parmi des étrangers en pleurs et prendre part à leur chagrin.

C'était la première fois que Sikandar avait une idée de ce que Mina pouvait bien faire de sa vie depuis qu'elle s'était imposé cette retraite du monde universitaire. Il l'imaginait à la maison, au lit, à regarder des feuilletons indiens à l'eau de rose sur le câble ou bien des émissions culinaires sur les chaînes pachtounes. Peut-être cuisinait-elle un peu, inspirée par les recettes présentées à la télévision, ou bien allait-elle chez la couturière pour se faire faire un *shalwar kameez*, quelque chose de chaud pour l'hiver.

Dans la voiture, alors qu'ils revenaient de ces premières obsèques, Sikandar n'avait pas demandé à sa femme ce qu'elle faisait au domicile de ce jeune défunt, ni si elle connaissait sa famille. Il était presque sûr que non. Il se contenta de fixer ses mains posées sur le volant tandis que, assise à côté de lui, Mina se laissait aller à pleurer, les larmes laissant des traces noirâtres de mascara et d'eye-liner sur ses joues. Au bout d'un moment, il se tourna vers sa femme, autrefois caustique et à l'esprit acerbe et dit :

— Arrête, Mina.

Mina rajusta le *dupatta*, qu'elle ne s'était mise à porter sur la tête que récemment, mais qui allait avec son travail d'investigations funéraires et lui servait aussi de cape pour se couvrir de chagrin, et fit comme si Sikandar n'avait rien dit. Elle parut n'entendre que le son provenant du lecteur de cassettes et la voix délicate de cette ancienne légende qui avait chanté pour les troupes combattantes des différentes guerres ayant opposé le pays à ses voisins.

Mina sortit la cassette en appuyant son index sur la touche d'éjection et se mit à enrouler autour de sa main toute la bande qui se trouvait dedans.

— Elle est à qui, cette cassette ? hurla-t-elle.

Sikandar la dévisagea.

— Alors maintenant on écoute leurs musiciens ? reprit-elle. Les chanteuses qui soutiennent le moral des troupes par des hymnes ? À qui est cette cassette ? Je ne veux pas voir ça ici, pas question.

Mina secoua la tête à en faire tomber son *dupatta* qui atterrit sur ses épaules.

Sikandar s'agrippa au volant, le serrant plus fort.

— Laisse tomber, Mina. Ce n'est que de la musique, une vieille cassette – ce n'est pas important.

Mais elle n'était pas décidée à laisser tomber, ni à laisser la chose sans réponse. La vérité, c'était que Sikandar aimait cette musique, il aimait la voix de cette femme et sa manière de retrousser son sari – c'était toujours un sari – d'une main tandis que de l'autre elle agitait un mouchoir, ne s'interrompant que pour se tamponner les yeux, dans les vidéos en noir et blanc diffusées sur PakistanTV, la chaîne de télévision nationale.

Ces chansons, Mina les connaissait si bien qu'elle avait coutume, autrefois, de les fredonner en cuisinant ou en lisant les journaux. Elle était même toujours en quête de nouvelles cassettes. Lors de ses tournées de conférences à travers le pays, elle s'arrêtait toujours sur les marchés pour acheter les plus récentes compilations de cette chanteuse.

Mais, à présent, on ne pouvait plus lui rappeler ces souvenirs. Mina leva les sourcils, qu'elle avait joliment épilés, et abaissa la vitre de la portière.

— Arrête, Mina, répéta Sikandar d'un air las en se penchant à moitié sur elle pour pouvoir remonter la vitre, s'opposant à elle pour avoir la maîtrise du monde extérieur.

Il lui aurait fallu une nouvelle voiture, un de ces modèles équipés de vitres sécurisées et de verrouillage des portes qu'il aurait pu facilement commander depuis le siège du conducteur, comme pour les enfants. Mina finit tout de même par entrouvrir la fenêtre, juste assez pour pouvoir jeter violemment la cassette.

— Elle sera très bien dans le caniveau, parmi les ordures.

Mina avait cessé de crier ; elle parlait avec hargne, à présent, reportant sur son mari la colère qu'avait fait naître cette cassette.

— Lâche, siffla-t-elle.

Sikandar baissa la tête. Il concentra le peu d'énergie qui lui restait sur la pédale d'embrayage et le levier de vitesses, qui était un peu dur, et arrêta la voiture au bord du trottoir.

— Mina, dit-il doucement, cette cassette est à toi. C'était ta préférée.

Mina regarda son mari, les yeux encore un peu rouges et brillants.

— Tu l'écoutais tout le temps dans la voiture, reprit-il, tu connais les paroles de toutes les chansons. Tu te frappais la poitrine au rythme de la musique, comme pour un rituel. Tu disais qu'elle ne chantait pas pour le Pakistan. Qu'elle chantait pour nous, pour les petites gens, pour les oubliés. Pour Mir Ali.

Mina battit des paupières. Elle se rappela la chanteuse outrageusement maquillée, ses cheveux auburn épais tressés sur la nuque et négligemment rassemblés en chignon sur le sommet du crâne. Elle arrivait à tout petits pas sur la scène, comme ces geishas japonaises ou ces Chinoises dont les pieds ont été douloureusement bandés. Son sari lui enveloppait magnifiquement le corps, en épousait les formes, Mina se la rappelait à présent. Sa silhouette de rêve. Il lui revint qu'elle aussi aurait aimé se mettre des boutons de jasmin dans les cheveux et chanter la guerre et la mort comme si c'étaient des délices terrestres.

Une main sur la vitre entrouverte de la portière, Mina se martela la poitrine de l'autre, au niveau du cœur comme pour le faire repartir. *Ya Ali, ya Ali.* Elle se frappa le cœur et laissa ses larmes d'encre tomber sur son *shalwar kameez* blanc froissé, se fredonnant encore et encore les paroles dans la tête tandis que Sikandar les ramenait chez eux en silence.

Ça, c'était il y a plusieurs mois. Sikandar garde la sonnerie de son téléphone coupée depuis, protestation silencieuse contre les irruptions continuelles de Mina dans des obsèques. Le garçon de cuisine est chargé d'aller la récupérer quand elle provoque un esclandre et parle de l'oiseau chanteur en sari. Sikandar a essayé de garder le secret de Mina aussi longtemps qu'il a pu, ramenant sa femme à la maison pour l'enfermer aussitôt dans leur chambre, porte verrouillée et rideaux tirés afin que personne ne l'entende gémir ni hurler. Mais les cris de Mina s'entendaient à l'autre bout de la maison. Pendant des semaines, Zainab, installée au pied de l'escalier, effrayée, incapable de monter, écouta sa belle-fille sangloter. En haut, Sikandar n'ouvrait la porte que le temps de rassurer sa mère, lui dire qu'il n'y avait pas de raisons de s'inquiéter.

— Elle a besoin de repos, c'est tout, disait-il à sa famille, cependant que tous baissaient les yeux, mal à l'aise autour de la table de la cuisine. C'est une réaction normale.

Il était médecin, il savait de quoi il parlait. Il faisait de son mieux pour couvrir les diatribes dépressives de Mina, mais il ne put dissimuler très longtemps ses incursions aux obsèques.

Zainab commença elle aussi à recevoir des appels téléphoniques. Des femmes de son âge, amies ou relations, l'appelaient pour l'abreuver de détails sur la façon dont Mina s'introduisait chez les gens. Sa bru était folle, selon elles. Il fallait qu'elle en parle à son médecin de fils pour la faire interner. Elle dérangeait, importunait de bonnes familles de Mir Ali. C'était proprement intolérable. Cela ne se faisait pas.

Lorsque Zainab parla à Sikandar de ces appels, il détourna les yeux et mentit à sa mère.

— Elle a juste besoin de repos, dit-il, presque pour lui-même, c'est normal, ce genre de réaction.

Du coup, Aman Erum et Hayat l'évitent à présent. Zainab ne parle à sa bru qu'aux repas. Elle n'invite pas Mina à venir dans sa chambre, ne lui demande plus de lui décortiquer des pistaches dans l'après-midi. Zainab et Mina avaient l'habitude d'aller ensemble se faire épiler les sourcils et teindre les cheveux au salon de beauté de Tabana. Quatre filles y travaillaient, maniant la cire et le fer à lisser. Plus récemment, Tabana leur avait proposé la méthode de lissage japonaise, une nouvelle mode venue de l'étranger.

— Très efficace, très rapide, leur avait assuré Tabana. Facile, très en vogue.

Mina avait ri et dit à sa belle-mère que lorsque Tabana cesserait de lui laver les cheveux dans l'évier de sa cuisine, elle pourrait envisager de s'aventurer à recevoir des soins exotiques, mais pas avant. Zainab se rend donc dorénavant seule aux salons de beauté que des femmes comme Tabana installent dans leurs cuisines ou leurs salons et qui ont proliféré dans Mir Ali. Et personne ne fait allusion aux sorties de Mina.

La Suzuki s'arrête à côté de la station-service et Sikandar rassemble ses idées avant de couper le contact et retirer la clé. Dans le silence de la voiture, il écoute le bruit de la pluie tombant sur le capot. Il va falloir faire vite, les prières de l'Aïd vont bientôt commencer. Il a deux heures pour s'occuper de Mina, retourner au travail et se rendre à la mosquée – s'il veut pouvoir prendre son temps. Sikandar n'a tout simplement pas l'énergie nécessaire pour une empoignade, surtout aujourd'hui.

9 h 25

4

Ils se retrouvent dans le département d'histoire de l'université. Peu de vie sur le campus ces temps-ci, à peine quelques étudiants ou professeurs vaquant ici et là à leurs affaires. Il n'y a pas que l'université qui a été étouffée par les politiques d'occupation et la suspicion. Les écoles de Mir Ali sont elles aussi considérées comme dangereuses. Les enfants, qui ont le droit de se rassembler dans les cours de récréation et sur les terrains de jeux, ramènent chez eux des nouvelles de camarades de l'extérieur, leur sort énigmatiquement scellé dans les devoirs à faire à la maison et les énoncés de problèmes. Zohran et Zaviyan marchent soixante-dix kilomètres ensemble puis trente et cinquante-deux kilomètres séparément. Il y a un embranchement sur la route et ils prennent du retard ; ils atteindront l'un et l'autre leur destination mais qui arrivera le premier ?

Aucune importance.

On donne une note pour la bonne réponse.

Ils sont vivants, les garçons sont vivants. C'est le message qui est envoyé, puis reçu.

Il y a des cours de maths où l'on n'apprend rien des mathématiques. Rien de bien sérieux, pas de fractions, pas de solution à chercher ; de l'espoir à relayer, c'est tout.

Mais les enfants doivent cependant être prudents. Certains de leurs professeurs sont payés par les autorités pour signaler toute activité subversive sur le campus et dans les classes. Ils ne sont pas nombreux, un ou deux peut-être, on ne sait pas exactement. Les professeurs doivent signaler les étudiants exprimant des opinions séparatistes, ceux qui parlent ouvertement des voyages de leurs pères. Ils surveillent plus particulièrement ceux qui ont tendance à se vanter de la force d'un frère, des récents exploits à l'entraînement d'un oncle, n'importe qui montrant des sentiments trop amicaux pour les États voisins ou évoquant les années 1947 et 1971.

On les encourage à provoquer les étudiants – jeunes ou vieux, peu importe. Les agences gouvernementales, pour qui toute information est bonne à prendre, sont avides de renseignements. Les devoirs à faire en classe, pas ceux qu'on ramène chez soi du cours de maths, sont écrits au tableau noir : que représente pour vous le Pakistan ? Une dissertation sur le patriotisme donnée pendant un cours de littérature anglaise.

Une bonne réponse vaudra au bon élève une étoile à l'encre rouge en marge de son travail ; mais une mauvaise réponse pourra avoir des conséquences tout autres pour l'élève et sa famille.

L'université elle-même n'est pas grande ; quelques bâtiments peu élevés construits en blocs, les différentes facultés séparées par des allées permettant aux vélos et aux véhicules dûment autorisés de circuler. C'est une très jeune université, pas plus vieille que les étudiants qui y passent leurs diplômes. Construite par la province, l'université de Mir Ali s'est ouverte à la progéniture des négociants et des contrebandiers qui, sinon, auraient dû aller étudier dans des villes éloignées. La plupart des enseignements proposés étaient censés être gratuits, mais la faiblesse des ressources et la corruption généralisée des fonctionnaires de la province ont fini par en limiter l'accès aux plus riches.

L'université est gardée par de grandes grilles en fer forgé. Elles ont fini par servir non pas à laisser entrer les étudiants, mais à les empêcher de sortir.

Il y a maintenant presque dix-huit mois que l'université a été encerclée, qu'elle est en état de siège. Les étudiants avaient d'abord manifesté contre l'assassinat d'un des leurs parmi les plus populaires, Azmaray, à qui il ne manquait plus que quatre mois pour avoir sa licence de philosophie.

Grand et dégingandé, Azmaray avait des cheveux qui lui tombaient sur les épaules. Pas l'air d'un fauteur de troubles, juste d'un étudiant en philo. Mais considéré comme dangereux.

Il avait été photographié dans un rassemblement, une manifestation dans les taudis en extension croissante de la rue Haji-Abdullah-Shirazi-Khan, brandissant une photo de son frère que les militaires avaient fait disparaître.

Les disparitions de l'Askari. C'était un service, avait dit Inayat, au même titre que l'extermination des termites ou la dératisation. Bien sûr, l'armée avait déjà coffré des gens sans mandat d'arrêt, les détenant des semaines durant, voire des mois, mais ils ne disparaissaient pas complètement. Cette fois, c'était différent.

Personne dans le pays n'attendait plus les disparus de Mir Ali.

C'était la première fois que la presse nationale se faisait l'écho des manifestations qui se déroulaient chaque semaine, organisées par les familles de Mir Ali dont les membres avaient été ainsi cueillis et détenus par les autorités à l'insu de tous. L'armée, quant à elle, n'avait pas toujours été d'une aussi grande discrétion chaque fois qu'elle avait fait disparaître des gens dans ses trois provinces frontalières – jamais au centre – au cours des cinq années écoulées.

Il y avait quelque chose de méthodique, de très élaboré, dans ces disparitions.

Ils autorisèrent d'abord les étrangers à venir et à choisir qui serait arrêté de façon très officielle et qui serait transporté hors des frontières nationales. Des hommes jeunes, originaires de villes frontalières isolées, furent incarcérés sur des bases aériennes afghanes proches et interrogés par des gamins venus de l'Oklahoma. L'armée n'avait même pas besoin de s'en mêler, au risque de compliquer les choses.

Puis les Américains s'en prirent à des hommes plus âgés, tous barbus, qui récitaient des prières du haut des minarets. Mais, s'ils étaient dangereux, ce n'était pas comme leurs ravisseurs l'avaient espéré.

Subitement, l'armée voulut apporter son aide, participer activement au processus et bénéficier, dans le pays, de la formation d'une École militaire des Amériques[7]. « Il faut

7. L'Institut de l'hémisphère occidental pour la sécurité et la coopération (*WHINSE*), anciennement appelé École militaire des Amériques, est un centre d'enseignement militaire géré par le département de la Défense, créé en 1946 et situé d'abord au Panama. Aujourd'hui en Géorgie, il est célèbre pour avoir enseigné aux militaires latino-américains les doctrines de contre-insurrection et inculqué une idéologie anticommuniste. Nombre de militaires ayant par la suite organisé des coups d'État et instauré des juntes y ont été formés.

regarder ailleurs que dans les mosquées, chuchotaient-ils, il faut trouver où ils se rassemblent pour parler de politique, de la guerre, de leurs allégeances. Ce n'est pas dans les mosquées que vous les trouverez ; ils n'y parlent que de Dieu. »

Si bien que, s'en lavant les mains, les Américains laissèrent le champ libre aux Pakistanais et reprirent leur combat depuis les airs.

Pendant ce temps-là, au sol, l'armée pakistanaise continua le travail.

Balach, le frère d'Azmaray, était un fauteur de troubles bien connu. Il avait fait imprimer un pamphlet, un procès-verbal détaillant les crimes du Pakistan contre son peuple. Le Pakistan oriental, le Baloutchistan, les Sindhis, les Pachtounes, les chrétiens, les minorités, Balach n'avait oublié personne.

Il se rendait à pied à l'université, où il enseignait les sciences politiques en tant qu'assistant, quand c'était arrivé. Il était parti de chez lui à 11 h 15. À pied, le trajet jusqu'au campus bordé d'arbres, où il allait donner aux étudiants de première année un cours introductif aux Constitutions internationales, lui prenait dix minutes. Il fumait une cigarette en marchant et c'est en penchant la tête pour l'allumer contre le vent qu'il remarqua la Pajero verte qui était derrière lui.

Mais il y avait d'autres voitures dans la rue. Balach exhala un panache de fumée et continua son chemin. Vingt secondes plus tard, la Pajero verte s'arrêta. Un homme portant un pantalon au pli impeccable sauta du siège arrière et empoigna le jeune professeur, le faisant trébucher et perdre l'équilibre tandis qu'on le jetait dans le coffre spacieux de la Pajero.

Il y eut des témoins.

Des conducteurs allant dans des directions différentes se dirent qu'ils venaient de voir un homme qu'on poussait sans ménagement dans une voiture apparemment officielle.

Des enfants qui mendiaient aux carrefours surent pertinemment ce qu'ils avaient vu mais feignirent de n'avoir pas compris qu'il s'agissait d'une arrestation illégale. Et tout continua comme avant. La vie serait plus facile pour ceux qui n'avaient rien vu.

Il n'y avait pas eu de sang versé. Il était inutile que des officiels en uniforme bloquent la rue pour empêcher que des passants soient témoins d'une affaire officielle. Il ne s'était rien passé.

Quand on apprit que le jeune professeur assistant ne s'était pas présenté devant sa classe du matin, on supposa qu'il avait été retenu par quelque chose de plus important ; un problème familial, peut-être.

Et quand, dans sa famille, on ne vit pas rentrer Balach, on pensa qu'il devait crouler sous une masse de travail.

Mais comme le lendemain matin Balach n'avait toujours pas donné signe de vie, ni à son travail ni chez lui, son père se rendit au *thana* de la police locale et demanda à remplir un rapport préliminaire d'information.

L'agent lui rit au nez.

— Revenez dans une semaine.

Une semaine plus tard, le même agent réagit comme s'il n'avait jamais vu le vieil homme auparavant ni entendu parler de la disparition de son professeur de fils. Sur son visage, aucune manifestation d'intérêt pour cette affaire, ni pour le temps écoulé.

— Nous ne sommes pas concernés, débrouillez-vous pour régler ces problèmes personnels, vous n'êtes pas dans un foutu bureau des réclamations, ici, aboya-t-il cette fois.

La police ne fit aucun rapport. Il n'y avait pas de mandat d'arrêt émis au nom du jeune assistant.

Quand le père alla timidement voir la police militaire pour leur parler d'histoires de cigarette jetée et de Jeep verte avec un grand coffre – histoires peu à peu parvenues aux oreilles de la famille –, on lui répondit que son fils les avait probablement abandonnés pour aller combattre en première ligne du djihad d'Al-Qaïda.

— Mais il était professeur ; ce n'était pas un combattant. Et il n'était pas religieux. Il enseignait la Constitution.

— Alors il est peut-être parti avec son petit copain, *hain, kahkah* ? Il ne m'a pas l'air du genre combattant, comme vous dites. Peut-être qu'il ne s'entend pas avec les femmes et qu'il s'est enfui pour vivre une vie de... – vous dites qu'il n'est pas religieux, *kahkah* ; regardez ce qui arrive à ces garçons quand ils ne craignent plus le Tout-Puissant.

— Peut-être qu'il est mort, finit par dire l'un d'eux.

Si la honte et la crainte ne marchaient pas, ne pas savoir serait leur punition. Il n'y eut pas d'humiliation finale. Cela continua.

Peut-être qu'il est mort.

Peut-être qu'il est mort.

Mais il ne l'était pas.

Il n'y avait aucune preuve que les autorités soient impliquées dans la disparition de Balach, mais cela même – l'absence d'empreintes de pas, de témoins, de nouvelles – était une preuve en soi.

Son frère Azmaray, l'étudiant en philo, défilait chaque semaine avec les familles d'autres hommes pris eux aussi dans cette guerre secrète des autorités contre le peuple de Mir Ali. Il défilait avec des enfants qui étaient les cousins, les fils, les filles, les neveux et les nièces des disparus. Avec des mères aux cheveux blancs et des pères qui marchaient avec une canne. À travers les bidonvilles, le marché, en direction du club de la presse.

Et un jour, un journaliste de passage qui avait bu un verre de thé au lait à la cafétéria du club de la presse vit passer les manifestants et demanda à ses collègues de quoi il retournait.

— C'est la même chose chaque semaine, dirent-ils, haussant les épaules.

Le journaliste suivit les manifestants ; il emmena avec lui un photographe du club et lui demanda de prendre un cliché de l'étudiant en philo, le bras gauche levé au-dessus de la tête, le poing serré, la main droite tenant une photo de son frère contre sa poitrine.

Du jour au lendemain, Azmaray, l'étudiant en philo, devint un héros. Il devint le visage des disparus. Sa photo accompagnait l'article que le journaliste de passage écrivit au sujet de ces veilles hebdomadaires, de ces gens qui défilaient pour leurs non-morts. Et après avoir donné au pays un visuel sinistre, Azmaray leur inventa un mot. *Laapata.*

C'est ainsi qu'ils appelaient les gens comme son frère, le jeune professeur assistant.

Les absents. Les non-identifiés.

Trois jours plus tard, on retrouva Azmaray, l'étudiant en philosophie, au beau milieu du campus de la petite université.

Ses longs cheveux, qui avaient encore poussé, promesse d'une virilité affirmée pour son corps maigre et nerveux, avaient été brûlés. Il avait le ventre gonflé. Son bras gauche était cassé en cinq endroits différents et tordu au-dessus de son épaule. Son bras droit, celui qui avait tenu la photo de son frère, le maître assistant, gisait quelques mètres plus loin. On lui avait arraché toutes les dents.

Cet après-midi-là, à l'université, il y eut un *namaz e janaza* spontané pour Azmaray. Des centaines d'hommes et de femmes se rassemblèrent pour prier et pleurer.

Ils furent rejoints par les familles qui avaient défilé derrière Azmaray. Le personnel d'entretien, des chrétiens pauvres essentiellement, qui délaissèrent leurs prières en langue étrangère pour s'adresser au Dieu d'Azmaray, vint aussi. Tous se rassemblèrent afin de défiler pour Azmaray, qui était connu, et pour Balach qui ne l'était pas.

Cet après-midi-là, l'armée vint et tira dans la foule. Les rebelles parmi les étudiants, ceux qui avaient leurs propres cadres résistants de poètes et d'ingénieurs, ripostèrent, tuant sept soldats. L'université fut incendiée, le bâtiment de la faculté des sciences appliquées totalement détruit. Qui avait mis le feu, personne ne s'en souvient. Mais, depuis ce jour-là, l'armée impose son omniprésence à l'université.

À l'entrée, plus de service de sécurité privé, mais un camion de militaires chargés de vérifier les papiers de chaque entrant. Un second camion est garé dans la cour intérieure. Des soldats parcourent le petit campus, deux par deux, et les étudiants qui allaient se dissimuler derrière un bâtiment pour échanger un baiser ou fumer une cigarette le font dorénavant sous les yeux des militaires.

Malgré cela, les cadres résistants qui avaient riposté aux coups de feu se retrouvent régulièrement dans la tour sombre du département d'histoire. Sous le nez des militaires, ils se cachent au grand jour.

Hayat gare sa moto et serre sa veste autour de lui, relevant le col de cuir pour empêcher la pluie de lui tomber dans le cou. Les mains au chaud dans les poches, il monte les marches. Le département d'histoire est installé dans une tour sombre, au-dessus de l'ancienne école de journalisme. Tout le monde est journaliste au Pakistan, aujourd'hui. Personne n'a besoin d'une formation pour utiliser son téléphone comme appareil photo, saisir et transmettre une version revue et corrigée de la vérité. L'école de journalisme n'a plus lieu d'être.

Pour les étudiants qui se retrouvent dans la défunte tour de transmission, un système a été mis en place. Ils n'y viennent que sur convocation. Sinon, ils ne doivent jamais traîner autour du département d'histoire.

Les escaliers sont froids et déserts. Des affiches vert et blanc récemment collées tapissent les murs, toutes reproduisant la photo retouchée d'un homme arborant une moustache bien huilée. La date du jour flotte au-dessus de sa tête. Hayat ne s'arrête pas pour lire les exhortations patriotiques qui figurent en dessous. Dehors, un léger crachin frappe doucement le bâtiment de briques brunes tandis qu'arrivé au troisième étage Hayat tourne pour se diriger vers la salle de classe.

Quelques étudiants y sont déjà assis, non sans une certaine décontraction, leurs longues jambes étendues dépassant de sous les bureaux disposés au hasard, ou par terre en tailleur, le dos voûté comme des bossus, penchés sur des papiers et des cahiers. Quelques-uns restés debout près de la fenêtre fument cigarette sur cigarette.

Hayat frappe doucement à la porte en entrant. L'un des étudiants assis à un bureau corrige des papiers d'un air distrait. Les « bossus », des jeunes gens plutôt débraillés, lui passent des feuilles de papier agrafées, de vieilles copies d'examen, avec des petites annotations écrites au crayon entre les lignes dactylographiées. Ils ont les ongles sales, cassés et rongés. Hayat roule les papiers agrafés dans sa main et les glisse sous son bras. Les fumeurs à la fenêtre le saluent d'un signe de la main, mais ne quittent pas des yeux la rue qui se trouve en dessous, tout en exhalant la fumée par la fenêtre sale.

Au premier rang de la classe, elle est appuyée de tout son poids contre le bureau du professeur, ses longs cheveux rassemblés en un chignon souple bloqué par deux crayons. Elle a les pieds croisés devant elle. Contrairement à ceux qui sont assis derrière un bureau, qui se contorsionnent et s'agitent sur leur siège, ou les « bossus », assis par terre dans une position inconfortable, qui n'arrêtent pas de frotter leurs genoux endoloris, elle a l'air parfaitement à l'aise. Derrière elle, sur le bureau, les mêmes copies d'examen agrafées, mais elle ne les regarde pas. Elle dirige la réunion. Elle connaît les questions et les annotations marquées au crayon. C'est elle qui les a rédigées. Elle a un autre crayon entre les doigts et parle d'une voix douce et monocorde.

— Nous avons rédigé la déclaration. Elle sortira un quart d'heure avant – même les stations de radio n'en auront connaissance qu'après, mais c'est comme ça qu'on va procéder, dit-elle, s'adressant à Hayat, sans le regarder, le visage tourné vers les fumeurs. Il y a trois questions pour toi, tu veux y jeter un œil ?

Hayat détourne son regard. Quand elle lui parle dans la salle de cours, ils sont convenus qu'il doit feindre le détachement, se concentrer sur ses cahiers et ses notes.

Mais il se laisse toujours aller. Son regard revient automatiquement sur elle. Sur son long cou, sur ses doigts négligés toujours constellés de taches d'encre, sur la cordelette d'argent qu'elle porte au poignet gauche.

— Pour la première, c'est tout bonnement impossible, répond-il, fronçant les sourcils en lisant. On n'aura pas le temps de faire sortir Nasir, même sur une moto. Il faudra qu'il se planque.

Hayat ne regarde pas Nasir, qui monte la garde depuis l'appui de fenêtre.

— À moins que tu ne diffères la diffusion du communiqué d'une heure ou deux pour nous donner le temps nécessaire, ajoute-t-il.

— Non, rétorque-t-elle, la tête penchée sur sa fausse copie d'examen, on ne va pas faire comme ça. On leur donne un préavis raisonnable.

Elle se rapproche de Hayat pour l'entendre de son oreille gauche. Hayat la voit hésiter. Elle ne veut pas céder. Une lueur d'impatience apparaît dans ses yeux.

— Bien, dit Hayat en la regardant, nous ne sommes pas comme ces brutes qui ont attaqué le bus de l'école hier.

— Ce ne sont pas des brutes, dit-elle froidement. Ce sont des combattants. Nous sommes en guerre.

Elle s'écarte de lui avant qu'il puisse ajouter un mot.

Hayat sait qu'il est vain de discuter avec elle, mais il ne peut pas s'en empêcher.

— Mais ils tuent des enfants. Ils savaient que ça pouvait arriver, dit Hayat.

Il regarde autour de lui dans la pièce, personne ne dit mot. Elle feint de n'avoir rien entendu. Nasir fume en silence. Il ne prend pas part à la discussion.

— Des enfants.

Hayat répète le mot. Rien. L'œil rivé sur son papier, elle attend qu'il poursuive.

— Pour le deuxième point... reprend Hayat.

Il entoure des mots sur son papier avec un stylo à plume qu'il prend à l'un des jeunes gens assis par terre et qu'il ne connaît pas – il y en a trop, trop de « bossus » assis par terre à occuper l'espace.

— C'est déjà fait, dit-il. Si tout se déroule comme prévu, d'ici ce soir, nous aurons des gens du Chitral qui se chargeront de le couvrir. Ses cousins, on avait dit. Pour le week-end de l'Aïd, Nasir rend visite à ses cousins du côté de sa mère. Les Chitralis sont d'accord.

Elle repousse une mèche de cheveux derrière son oreille. Elle s'adresse à ceux qui sont installés à des bureaux :

— Quand pourra-t-on parler à sa famille ?

L'un des jeunes gens se redresse en la voyant porter son attention sur lui. Nasir est devenu une abstraction. Elle ne dit pas son nom pour lui épargner la difficulté d'entendre une discussion dont il ne fait plus partie.

Mais une voix s'élève d'un des « bossus » par terre :

— Si l'opération se passe bien, nous pourrons retarder la réunion avec la famille – pour la sécurité de Nasir, ils vont surveiller chaque mouvement de la maison, de la famille, l'allée, les téléphones. Hayat ?

Ce sont les agents de liaison.

Les « bossus » sont chargés de fournir de l'argent et quelques provisions à la famille de Nasir pendant son absence. Rien d'extravagant – quelques bougies et des lampes à gaz, parce qu'on leur coupera l'électricité dès que les militaires auront trouvé d'où le coup est parti ; un vieux téléphone mobile Nokia, pour rester en contact avec leurs parents et amis parce que, lorsque le courant aura été rétabli, leur téléphone filaire sera sur écoute ; un petit transistor et un peu d'argent pour qu'ils puissent tenir pendant l'absence de leur aîné.

Hayat ne parle pas aux agents de liaison. Que faut-il donc pour qu'un mouvement en soit à admettre des gens comme eux ? Ils se contentent d'être là en spectateurs, d'observer, de poser des questions et de prendre des notes. Hayat se souvient de camarades, des hommes ayant consacré leur vie à la cause de Mir Ali, qui abandonnaient tout, carrière, argent, famille. Qui passaient leurs nuits derrière un bureau, à fumer et à taper des tracts, des affiches et des articles de presse. Ils récitaient des poèmes parce que personne ne les écoutait lorsqu'ils employaient leurs propres mots. Ces hommes, des hommes comme Balach, avaient été les premiers à être éliminés. Le mouvement n'est plus ce qu'il était.

Hayat a le sentiment de pouvoir se permettre cette condescendance. Il joue un rôle majeur dans la résistance de Mir Ali, tout le monde en convient. Il a transporté des armes, jusqu'à de l'artillerie lourde, sous le nez des militaires, faisant passer des lance-roquettes à travers des postes de contrôle dont ils seraient eux-mêmes la cible.

De jeunes élèves officiers de l'armée sont morts d'avoir été ainsi piégés.

Feignant d'être un jeune père dans tous ses états qui avait eu un accident de voiture dans lequel sa femme, enceinte, avait été blessée, Hayat avait amené ces hommes à abandonner leur poste et à l'accompagner après les virages, derrière la forêt. Il les avait convaincus, non sans une certaine fébrilité, de venir jusqu'au lieu de l'accident supposé pour l'aider à déplacer la voiture, et là ils s'étaient retrouvés bâillonnés, ligotés et emmenés comme prisonniers ayant valeur d'échange.

Hayat a un visage honnête. Même ceux qui ne le connaissent pas, qui l'ont seulement croisé à l'université, grimpant l'escalier menant à la tour où les étudiants se réunissent après les cours, ou bien chevauchant sa moto, même ceux-là voient que ce garçon aux cheveux bouclés sur la nuque a quelque chose de spécial.

Les gens croient en lui ; ils croient en la sincérité de Hayat, avant même d'avoir des raisons d'y croire.

Il est le seul, dans la résistance, a avoir ce pouvoir-là. Les autres ont les traits déformés par la haine, enlaidis par un esprit de vengeance. Ils sont trop tourmentés pour pouvoir offrir un autre visage. Pas Hayat. Il dissimule très bien ses convictions et sert son pays sans état d'âme.

C'est un vrai soldat. Qui trompe parfaitement son monde.

Hayat regarde les « bossus » par terre. Ils ont les cheveux sales. Délibérément négligés. Trop évident. Une fois de plus, Hayat se passe la main dans les cheveux et répond en s'adressant à elle.

— Oui, inutile de leur dire quoi que ce soit s'il est vivant. Au moins pas avant deux mois.

Elle va à la fenêtre, prend une cigarette dans le paquet froissé d'un des fumeurs avant de se tourner vers Nasir pour avoir du feu.

Les femmes ne fument pas en public ; ça ne se fait pas, et elle s'affiche à la fenêtre.

— Nous nous occuperons de chacun d'eux, ne t'en fais pas.

Nasir sourit, mais il garde un œil sur le campus en dessous, sur le camion de la police militaire, les soldats dûment habillés et bottés, effectuant leurs rondes matinales.

— Les autres, vous devriez y aller, enchaîna-t-elle aussitôt.

Les jeunes gens se lèvent, les « bossus » ajustent leurs pantalons, ramassent leurs papiers et leurs sacs.

— Hayat, tu peux rester ?

Elle le regarde, pas autour de lui ni derrière lui. Ses yeux verts sont soulignés de cils fournis, longs et retroussés aux extrémités. Elle a un grain de beauté dans l'œil qui ressort sur le noir de l'iris – une petite touche de brun foncé qui s'est glissée dans le blanc de l'œil puis, ne trouvant pas sa place, s'est réfugiée tout au fond.

Elle est sortie de son rôle. Maintenant, elle se tient à la fenêtre avec Nasir, suffisamment proche de lui pour qu'il puisse frôler sa taille de son bras et qu'elle vienne se blottir dans le creux de son épaule si elle tourne la tête. Elle va devoir s'attarder quelques minutes à la fenêtre avec lui, dans une attitude suggestive, mais c'est avec Hayat qu'elle partira, conformément aux instructions notées quelque part entre les trois questions figurant sur sa feuille d'examen.

Hayat recule sur sa chaise. Il la regarde à son tour, elle, pas ses cheveux retenus par des crayons qui se croisent, ni ses mains.

— Je suis là, Samarra, dit-il, fixant le grain de beauté enchâssé dans l'iris.

5

Un silence de cimetière plane sur la maison. Sikandar frappe à la porte, actionne la sonnette mais personne ne l'entend. Il entre et s'avance sans bruit dans le couloir qui mène à un grand salon plein de monde, aux murs décorés de calligraphies coraniques en bronze recouvertes de peinture dorée.

Des cendriers en verre remplis de cigarettes à moitié fumées ont été disséminés un peu partout autour de vases de fleurs en plastique aux couleurs vives. Des hommes assis sur des canapés damassés conversent à voix basse en exhalant de la fumée.

Sikandar salue chacun d'un signe de tête, bonjour, bonjour, je suis désolé, je suis désolé. Il ne sait pas à qui présenter ses condoléances, alors il les regarde tous dans les yeux et place sa main sur le cœur, je suis désolé. Je suis désolé.

Il ne veut pas déranger les parents et amis du défunt en demandant qui a passé l'appel téléphonique, si bien qu'il fait le tour de la maison, l'oreille tendue, dans l'espoir d'entendre la voix de sa femme.

Des enfants, tranquillement assis sur le tapis de ce qui devait être la pièce de réception des invités et des gens moins proches, ramassent des graines de tamarin placées devant eux pour aider à dénombrer les prières pour le défunt. Ils regardent Sikandar d'un air absent. Une fillette fond en larmes.

Des domestiques transportent des cruches d'eau tiède sur des plateaux, les yeux rougis et larmoyants eux aussi, plus d'épuisement, après des heures de veille, que de chagrin véritable, se dit Sikandar. Deux vieilles femmes assises dans de grands fauteuils en cuir placés face à l'escalier se balancent d'avant en arrière en murmurant des *ayats* pour le repos du défunt.

Personne à qui s'adresser, semble-t-il, alors que Sikandar n'a pas beaucoup de temps à perdre et encore moins de patience. Pas de mollah pour conduire les prières, pas de femmes pour accueillir par les cris habituels tout visiteur venu rendre hommage au disparu.

Sikandar sort son téléphone portable de la poche de sa veste pour chercher le numéro de la personne qui l'a appelé afin qu'il vienne récupérer sa femme à cette adresse, quand l'une des domestiques, son vieux *dupatta* serré autour du front, lui touche l'épaule. Elle a le visage pâle, lunaire, un peu triste.

— *Ma pasay raza*, dit-elle, suivez-moi.

Puis elle monte l'escalier, deux marches à la fois, ne tournant la tête que pour s'assurer que Sikandar est bien derrière elle.

Sikandar est sur le point de protester. De demander à la servante s'il est convenable pour lui de se retrouver seul en haut, dans les appartements privés de la famille – lui, un étranger – le premier jour de l'Aïd, au cœur de ce moment d'intimité particulier entre tous.

Il a le sentiment d'être un intrus. Il est un intrus. De la pire espèce. Il s'est immiscé dans un deuil. Il ouvre la bouche, la referme, finit par se taire. Mieux vaut ne pas traîner. Il suit la fille jusqu'en haut des marches. Elle s'arrête, se tenant à la rampe.

— Elle est ici, dit-elle en désignant la porte qui est après le grand poste de télévision, faisant signe à Sikandar d'entrer d'un geste, comme si elle donnait un grand coup de balai. On ne savait pas quoi dire, impossible de l'arrêter. La famille était tellement triste. Tellement triste. Peut-être que c'est une bénédiction que quelqu'un vienne de loin pour prendre sa part du fardeau.

La jeune fille au visage lunaire bégaie, s'interrompt, comme pour se caler sur les pas de Sikandar.

Lui ne peut plus l'écouter. Il tourne la poignée de la porte, le cœur battant, et pénètre dans une pièce fraîche au sol carrelé. Toutes les ampoules sont allumées et il lui faut un moment pour que ses yeux s'accoutument à cette lumière. Mina est assise par terre dans la salle de bains, à côté de la cabine de douche qui est grande ouverte, les manches remontées jusqu'aux coudes.

Un jeune homme debout à côté d'elle sanglote contre la porte vitrée. Un corps, rigide et pâle, gît sur le sol de la douche. Sikandar n'aperçoit que des jambes glabres, le reste est caché par sa femme qui s'active autour d'un baquet d'eau, une éponge à la main, l'air absent. Mina lave le corps du jeune mort. Elle a pris sur elle de le préparer pour ses obsèques, bien qu'il lui soit totalement inconnu.

— Mina, murmure Sikandar.

Elle ne l'entend pas.

— C'était un enfant, gémit le jeune homme, suffoquant. C'était un enfant. Ils ont bombardé la route où circulait son car scolaire, sa classe allait au palais du gouverneur pour voir un spectacle à l'occasion de l'Aïd.

Il porte les mains à son visage baigné de larmes, les essuie, puis se frotte la bouche, salive et larmes mêlées.

— Les salauds ont cru que c'était une voiture officielle. En fait, c'était un minibus plein d'enfants. Ils ont détecté de la chaleur avec leurs capteurs. C'était cette masse d'enfants à l'intérieur. Ils ont lancé une roquette là-dedans, sans même vérifier la liste des visiteurs prévus pour la journée. Ils auraient pu le savoir, mais non, ils se sont contentés de tirer.

Sikandar regarde Mina ; elle est indifférente à la présence de cet homme – le frère, le père ou l'oncle du défunt – qui est derrière elle. Elle n'a pas non plus conscience que son mari essaie de l'arracher à sa tâche. Sikandar se rappelle que Hayat a évoqué l'attaque, la veille, autour de la table de la cuisine.

— Tu as vu ? Tu as vu à quoi ça mène ? avait dit Hayat en poussant sur la table l'édition du soir du journal. (Il clignait des yeux tout en parlant.) Des enfants. Toujours des enfants, maintenant.

Sikandar avait marqué une pause devant son assiette et regardé attentivement Hayat qu'il n'avait jamais vu si agité.

— Toujours, *ror* ?

Hayat avait reposé son verre. Après s'être essuyé la bouche d'un revers de main, il s'était levé.

Sikandar est devenu hypersensible, presque autant que sa femme, s'inquiète-t-il parfois. Heureusement, elle n'était pas là, à la table de la cuisine. Il fut un temps où Hayat et Mina auraient pu être des âmes sœurs. Ils s'adoraient. Sikandar se souvient que, dans la période qui avait suivi leur mariage, Hayat accueillait Mina chaque matin avec une chanson tout en pianotant sur la table de la cuisine. Mina riait, applaudissant joyeusement à cet intermède musical improvisé par son jeune beau-frère.

Hayat avait été tellement gentil avec Mina, la jeune épousée. Il faisait tout ce qui était en son pouvoir pour qu'elle se sente chez elle et fasse partie intégrante de la famille. De son côté, Mina s'était prise d'affection pour Hayat, elle en était gâteuse, comme s'il s'était agi de son propre frère. Maintenant, Sikandar se sent très loin d'eux, de leur façon de fonctionner, de leurs états d'âme. Il ne les reconnaît plus. L'année écoulée les a tous vus se décomposer.

Sikandar n'a plus le cœur à lire les nouvelles. Il évite les bulletins d'informations télévisés qui tournent en boucle vingt-quatre heures sur vingt-quatre, ainsi que les discussions sur la violence à la table de la cuisine. C'est trop pour lui. C'est tous les jours, à longueur de journée. La violence vous suit jusque chez vous.

— Viens, Mina.

Sikandar écarte les cheveux du visage de sa femme, mais elle l'ignore et lève un bras à sa frange, comme une barricade, pour que ses cheveux ne lui retombent pas dans les yeux.

Elle chante pour ce garçon, récitant les poèmes de Rahman Baba d'une voix douce, tout en lui épongeant les genoux avec douceur, le préparant comme s'il allait dire ses prières.

> Je pensais pouvoir réveiller de mes cris ce pays endormi,
> mais ils dorment encore comme dans un rêve.

Mina baigne tendrement le jeune défunt, n'interrompant sa récitation de poèmes que pour murmurer la prière de *fateha* sur sa tête. Elle change de langue, allant du pachtoune à l'arabe, son souffle passant sur le visage du garçon, de l'oreille gauche à la droite, pour que les démons comme les anges qui le suivent entendent cette prière et ne fassent pas obstacle à son ascension.

— Mina, viens, je t'en prie.

Sikandar se baisse et l'empoigne par les coudes. Il la traînera hors de la pièce s'il le faut. Il aimerait qu'elle lève les yeux et prenne conscience de la folie qui l'a prise à laver les membres d'un enfant mort, de l'eau savonneuse jusqu'aux chevilles, dans la salle de bains carrelée de gens qui leur sont totalement étrangers.

Mina repousse son mari.

— Je n'ai pas terminé, lui dit-elle. Je n'ai pas terminé, répète-t-elle au parent de l'enfant.

— Mme Mina a appris pour Habib et elle est venue nous aider, explique cet adulte à Sikandar, comme pour le prier de ne pas l'emmener.

Il était tellement pris par son chagrin – il avait été incapable de procéder à la toilette de Habib, son neveu de quatorze ans, le fils unique de sa sœur aînée – qu'il n'avait pas entendu le concert de voix réclamant dans toute la maison que l'on vienne chercher Mina.

Elle avait posé les questions habituelles. Où se trouvait ce garçon quand on avait découvert son corps ? Où se rendait-il ? Y avait-il des documents officiels informant sa famille des circonstances et des causes de sa mort ? Est-ce qu'il y avait une indication quelconque qu'il voulait mourir, qu'il avait été au-devant de sa mort ?

Le jeune homme n'avait pas entendu Mina poser ces questions. Il était dans la salle de bains, recroquevillé sur ce garçon qu'il avait vu enfant jouer au cricket, sur ces jambes qui avaient couru vers lui, son oncle, lequel avait hissé Habib sur ses épaules, formant ainsi un géant qui parcourait le terrain de cricket en faisant semblant d'être l'un des ces Australiens gargantuesques qui dominaient les matchs du T20 ces années-là. Il ne pouvait pas le faire, il ne pouvait pas laver ces jambes-là. Il ne pouvait pas nettoyer les jointures des mains de Habib, ces mains douces qui n'avaient encore jamais travaillé, ou se résoudre à le laver derrière ses oreilles d'enfant prépubère. Mme Mina l'avait trouvé là, penché sur le garçon, tandis que la famille attendait que le corps soit descendu au rez-de-chaussée pour être conduit au cimetière.

Elle s'était baissée, avait attaché ses cheveux en arrière, puis remonté ses manches.

Le jeune homme lui en avait été profondément reconnaissant, mais n'avait pu abandonner son poste. Il ne voulait pas décevoir sa sœur, qu'un médecin avait mise sous sédatif. Il ne voulait pas gâcher la dernière heure passée auprès d'un enfant qu'il avait vu naître, alors qu'il était à peine plus vieux que ce corps qu'on nettoyait sous ses yeux. Il n'était pas prêt non plus à laisser Mina partir, pas encore.

— Mina.

— Hmm ?

— Il faut qu'on s'en aille.

Mais Mina n'abandonnera pas Habib et son droit à entendre de la poésie.

Je pensais pouvoir réveiller de mes cris ce pays endormi…

6

Aman Erum ferme la portière du taxi, poussant de tout son poids contre la voiture jaune poussiéreuse. Le bureau où il s'apprête à entrer est une agence de voyages spécialisée dans l'Arabie Saoudite, transportant de pauvres pèlerins qui partent faire leur Hadj avec l'argent qu'ils ont économisé ou emprunté. Aman Erum tourne la poignée de la porte qui n'est pas verrouillée et s'avance sur une moquette bleu clair assortie au reste du bureau, épaisse et confortable sous ses pas. Il n'y a personne.

Bismillah Voyages est l'unique agence de voyages de Mir Ali. La ferveur des pèlerins, seule, la maintient à flot. Elle propose actuellement trois forfaits de pèlerinage à ses clients, le plus économique étant le Hadj de base, le forfait village.

Il s'appelle ainsi car les villageois sont si démunis qu'ils n'ont pas le choix. Ils empruntent auprès de leur coopérative et mettent en gage quelques petits bijoux – des colliers d'or qui ne pèsent rien ou des bracelets qui se tordent facilement – pour pouvoir payer les trente mille roupies nécessaires à leur envol pour la Terre sainte, en masse, comme du bétail, serrés les uns contre les autres à bord de la compagnie aérienne la moins chère possible (Ethiopian Airlines au départ de Peshawar).

Ils dorment à quarante dans une pièce pleine de mouches et de scarabées du désert. Les hommes sont alignés tête-bêche comme des allumettes et les femmes ne sont guère mieux loties. S'ils réussissent à le conserver, leur bagage leur sert d'oreiller.

La plupart des gens de la classe moyenne choisissent l'option médiane, proposée par Bismillah Voyages. Ils sont en quête d'une vaccination spirituelle contre les péchés qui pourraient venir avec leur aisance grandissante. Ils n'ont rien de particulier à expier ; un zeste de prière, à titre expérimental, fera l'affaire. Le reste du temps, les enfants se précipitent chez Burger King, les mères courent en masse aux souks de l'or et les pères fument le narguilé au café en dissertant sur le raffermissement de leur âme grâce à l'expérience du Hadj.

Le forfait du prince, en revanche, tourne autour de cent mille roupies, voire un peu plus. Bismillah Voyages vend plus de forfaits du prince qu'on ne pourrait s'y attendre, le Hadj étant un pèlerinage axé sur l'idée de simplicité et d'égalité entre les fidèles.

Les affaires sont si bonnes que le propriétaire de l'agence a cédé un bureau privatif au responsable local de l'armée. Personne parmi le personnel de l'agence ne s'est rendu compte des allées et venues de ces surnuméraires. L'équipe de Bismillah Voyages bénéficie d'excellentes connexions Internet par protocole Ethernet, de cinq lignes de téléphone et d'espace à revendre pour ceux qui veulent servir leur pays.

Aman Erum se dirige vers le bureau du directeur. Il n'a aucun désir d'aller à cette réunion, surtout pas aujourd'hui, mais le message qui a fait bip sur son portable ce matin, en même temps que sonnait le réveil, ne demandait pas un rendez-vous. Il en fixait un.

Les locaux sont déserts ; le personnel a eu trois jours de congé pour fêter la fin du Ramadan. Il y a quatre pièces privatives, dont les portes sont closes, cependant que le reste des box semi-ouverts baigne dans une obscurité silencieuse, les rideaux métalliques ayant été baissés. Il n'y a pas de lumière naturelle dans les couloirs, juste une faible lueur phosphorescente qui vacille au-dessus d'un ventilateur de plafond rouillé. Non, il y en a une autre. Aman Erum s'arrête et regarde autour de lui. Personne, apparemment, à la photocopieuse. Et les télécopieurs sont débranchés. Il met quelques instants à comprendre que la lueur provient d'économiseurs d'écrans d'ordinateurs.

Aman Erum pénètre dans la pièce et s'annonce lui-même.

— Bonjour, colonel, lance-t-il, accompagnant ses mots d'un salut de la tête.

Les mains du colonel Tarik sur lesquelles reposait son menton remuent pour inviter Aman Erum à prendre place, tapotant le bureau de ses doigts minces et noueux.

— Assieds-toi, assieds-toi, dit-il, tire ta chaise par ici. Je veux pouvoir te voir.

Aman Erum soulève la petite chaise en cuir et la rapproche, face au bureau managérial que le colonel a réquisitionné ce matin.

— Plus près, plus près, insiste le colonel.

Aman Erum tire la chaise de l'autre côté du bureau jusqu'à ce que le colonel lève la main. Il s'assied. S'il ne garde pas les jambes ramassées au plus près du corps, ses genoux vont heurter ceux du colonel. Aman Erum essaie de se faire tout petit, conscient que l'humiliation a déjà commencé.

— Dis-moi, *grana*...

Le colonel emploie toujours des termes honorifiques, parle toujours dans leur langue. Ça met Aman Erum mal à l'aise. Il n'est pas encore parvenu à décrypter l'officier.

— Ce retour chez toi, comment ça se passe – es-tu installé, maintenant ?

Aman Erum répond avec prudence.

— Oui, souffle-t-il d'une voix si retenue qu'on l'aurait crue venue des lèvres d'un autre. Merci, oui, je suis installé.

— *Kha, kha,* dit l'officier, feuilletant le calendrier qui se trouve sur le bureau. Et ta famille ? Tout le monde va bien ?

Aman Erum dévisage l'officier, regarde ses yeux alourdis de poches sombres et de petites taches de soleil, puis baisse lui-même les yeux.

— Très bien, merci.

— Et cette jeune personne...

Aman Erum, qui se sent rougir jusqu'aux oreilles, aurait préféré être sourd que d'entendre son nom murmuré par l'officier. Le sang lui monte aux tempes, un afflux qui produit un bruit sourd. Il ne veut pas entendre le colonel prononcer son nom, ne veut pas savoir comment il va la qualifier, quels mots il va employer pour l'insulter.

— Cette jeune personne, elle te cause encore du souci ?

Les yeux d'Aman Erum, fixés au sol, sur la moquette d'un bleu pâle, presque céruléen, épaisse, avec de longues mèches qui ressortent et gondolent sous ses semelles, se ferment.

— *Mafi ghawaram saib,* je suis désolé, monsieur.

Ses yeux le brûlent. Il les garde clos.

— Oh, ne sois pas désolé, *grana*. Ce sont des choses qui arrivent. Ne t'en fais pas, ce ne sont que des contretemps ; il n'y a pas de raison que cela affecte nos relations.

Le colonel Tarik tend la main et la pose sur le genou d'Aman Erum.

Aman Erum ouvre les yeux. La main gauche de l'officier s'attarde, il a toujours son alliance.

— Aujourd'hui, il y a eu une attaque au poste de contrôle du marché Sher-Shah-Ali.

Le colonel Tarik ôte sa main du genou d'Aman Erum et la repose sur le sien.

— Trois morts, vingt et un blessés.

Aman Erum recule sa chaise de quelques centimètres, comme pour se mettre lui aussi au diapason de la nouvelle tonalité prise par la conversation, mais pas trop, pour que ce mouvement ne soit pas de nature à offenser le colonel. La moquette frémit dès qu'Aman Erum remue les pieds, les mèches bleues accompagnant chacun de ses mouvements. Si on y faisait tomber un penny, une petite pièce légère en cuivre, elle disparaîtrait aussitôt dans la masse.

— C'était une femme, tu le savais ?

Aman Erum l'ignorait. Le chauffeur de taxi avait été quelque peu macho dans sa description de la manière dont les soldats avaient été traités. « Ce sont nos troupes, nos troupes qui les ont abattus. » Aman Erum fait non de la tête au colonel.

— Elle était jeune, belle aussi, d'après ce qu'on a pu en voir. Jolie silhouette, jolies dents. On a encore ses dents, *grana.* C'était peut-être une étudiante, on ne sait pas. On est encore en train d'étudier le communiqué laissé par ces djihadistes – il crache ce mot et envoie des postillons qui atterrissent sur l'agenda de cuir du directeur –, par ceux qui la manipulaient.

La main du colonel repose toujours sur son genou. Il se penche en avant.

— Elle n'est pas morte dans l'explosion, *grana.*

Il sourit. Ses dents étaient parfaites en réalité, juste abîmées par du tabac qui se glissait sur ses incisives comme du lierre.

— Alors, voilà ce qu'on attend de toi, *grana.*

Le colonel pose ses mains sur le bureau, serrant ses paumes moites l'une contre l'autre.

— On veut que tu te serves de ce qu'on t'a enseigné en Amérique pour recueillir des informations sur l'identité de ceux qui organisent ces attaques, les financent, ou rédigent les communiqués.

Aman Erum approuve de la tête.

— Où se trouvent-ils ? Comment choisissent-ils leur cible ? Pourquoi nous préviennent-ils de plus en plus rarement ? ajoute le colonel.

Aman Erum se demande de quels renseignements militaires dispose le colonel. Les réponses à ces questions ne peuvent pas toutes lui faire défaut. Ça doit être un test, une de ces vérifications qu'ils font de temps à autre sur leurs sources locales – pour éprouver leur fidélité et leur fiabilité.

Ils connaissent déjà les réponses. Ils savent que vous les connaissez aussi. Ils savent que vous pouvez les dénicher sans trop d'efforts ; vous avez des amis, des collègues, des étudiants et des intermédiaires convaincus que votre engagement au service de votre peuple est irréprochable. Ils veulent que vous interrogiez ceux-là même qui iraient vous dénoncer, une fois que vous auriez été trahis comme étant au service de l'État. Ils veulent vous isoler de vos protecteurs, de vos alliés naturels.

— Je vais voir ce que je peux faire, dit Aman Erum.

Aujourd'hui, Aman Erum donnera au colonel un cadeau dont il pense qu'il va finir par le libérer de leur longue étreinte. Il préfère ne rien en dire pour l'instant. Pas avant que le moindre risque d'échec n'ait été exclu.

— Je compte sur toi, répliqua l'officier.

Aman Erum se lève, attentif à éviter tout contact physique avec le colonel. Il ne veut pas que l'information qu'il cache, l'information qu'il a gardée pour lui jusque-là, puisse se lire dans ses yeux. Ne sachant pas très bien ce qu'il fait là ni comment le justifier, Aman Erum quitte le bureau directorial et Bismillah Voyages, les yeux délibérément fixés sur la moquette, jusqu'au trottoir poussiéreux de la rue Pir-Roshan.

9 h 53

7

Sikandar présente ses condoléances pour la dernière fois à l'oncle de Habib. Il lui serre la main et répète tout ce qu'il a pu dire au cours du dernier quart d'heure, des paroles pleines de délicatesse sur la patience et la modération face au chagrin ; des formules que l'on apprend à répéter comme un perroquet lors des obsèques, par politesse, mais aussi pour apporter un peu de réconfort aux personnes éplorées.

Mina dénoue ses cheveux, prend son sac à main pour se le glisser à l'épaule. Elle a la voix douce, encore prise par la musique des poèmes qu'elle a chantés et des prières qu'elle a murmurées entre deux versets.

Ils passent ensemble devant la servante au visage lunaire, descendent les marches, franchissent le seuil de la porte et rejoignent la voiture.

Sikandar conduit sa femme à l'hôpital en silence. Il n'a pas envie de l'y emmener. Il faudra qu'elle reste dans la voiture, qu'elle l'y attende, le temps pour lui d'effectuer ses visites. La radio commence à diffuser les nouvelles du matin, et Sikandar la coupe aussitôt. Mais Mina ne remarque pas le changement, elle continue de se chanter les poèmes de Rahman Baba. Lui a les mains sur le volant, bien en place à dix heures dix.

Au feu, la voiture est arrêtée, Sikandar doit exhiber ses papiers. Il se penche par-dessus les genoux de sa femme pour ouvrir la boîte à gants. Mina ne se rend compte de rien ; elle continue de chanter, imperturbable.

Elle se contente de mettre ses mains sur ses genoux et de poser son sac par terre pour que Sikandar puisse extraire les papiers de la voiture et les photocopies de leurs cartes d'identité. Quand Mina déplace son sac à main, quelque chose roule par terre. Sikandar l'entend, une sorte de tintement. Il est soulagé que l'agent n'y prête aucune attention et ne prolonge pas ses recherches pour trouver d'où vient ce petit bruit. Le jeune agent examine les documents, vérifie les cachets figurant derrière le pare-brise et leur fait signe d'y aller.

La tristesse de Mina l'emprisonne dans une espèce de transe. Elle se déplace avec elle, s'endort dans la certitude qu'elle la retrouvera au réveil et se promène d'obsèques en obsèques, dans l'espoir de parvenir à accepter ce qui est arrivé à son fils.

Quand leur fils Zalan était âgé de six ans, c'était Sikandar qui le couchait, le plus souvent. Zalan avait peur de l'obscurité précoce des nuits d'hiver et il se pelotonnait contre son père. À l'heure du crépuscule, Sikandar, allongé dans un fauteuil, fumait sa cigarette du soir en discutant avec ses frères. Zalan apportait sa trousse d'écolier, ses devoirs, et s'installait aux pieds de son père, dans le salon, jusqu'à ce qu'il soit l'heure d'aller au lit.

Si Sikandar se levait pour répondre au téléphone ou pour aller se chercher un verre d'eau à la cuisine, Zalan refermait son livre et accompagnait son père.

« Moi aussi, j'ai soif », disait-il à Sikandar pour expliquer sa présence.

« C'est qui, Baba ? C'est quelqu'un pour moi ? » demandait-il tout en tripotant le cordon du téléphone dans ses petites mains, sachant parfaitement qu'aucun de ses camarades de classe ne serait au bout du fil.

Au cours de ces mois-là, Sikandar ne laissa jamais voir à son fils qu'il avait conscience de son anxiété. Il se contentait d'aller lui chercher un verre d'eau, lui tapotait son petit dos osseux aux omoplates trop grosses pour sa frêle ossature.

Pour son anniversaire, ils lui avaient acheté des Bubblegummers au bazar, des chaussures dont les semelles s'illuminaient de clignotants bleu et rouge à chaque pas. Tous les enfants avaient ce genre de baskets, cette année-là. Zalan avait voulu repartir du magasin avec et même supplié ses parents de les garder au lit.

— Elles sont tellement neuves qu'elles ne sont même pas sales, avait pleurniché Zalan.

— Après le trajet depuis le bazar, ce serait étonnant, avaient répliqué ses parents.

— Je les garde jusqu'à ce qu'on ait fini de raconter l'histoire. Je les enlèverai juste avant de m'endormir, avait-il insisté.

Ils ne s'étaient pas laissé fléchir.

— J'ai peur, avait fini par dire Zalan. Les lumières me protégeront.

Sikandar avait tenu bon et il avait fallu enlever les Bubblegummers. Mais un compromis avait été trouvé et on les avait bricolées pour qu'elles continuent de clignoter. Puis on avait laissé la porte entrouverte pour qu'étendu dans son lit, les couvertures remontées jusqu'au cou, il puisse les voir danser sur le sol.

Le chaos règne à l'hôpital, avec son lot habituel de mères angoissées et de patients en colère exigeant toujours plus de temps et d'attention de la part d'une équipe de médecins ne pouvant offrir ni l'un ni l'autre. On fait tourner les postes pour le congé de l'Aïd et ceux qui sont de service font face, même si tout marche au ralenti. Sikandar se rend à son travail ce vendredi matin, Mina assise, hébétée, à l'avant de la Suzuki grise. Il aurait préféré qu'elle ne soit pas là. Elle non plus n'a pas envie d'être là. Dans la voiture, elle ne bouge pas, ne tourne pas la tête ni d'un côté, ni de l'autre, se contente de regarder droit devant elle. Avant de sortir de la voiture, Sikandar rallume la radio pour tenir compagnie à Mina.

« On s'attend à ce que quatre cents jeunes gens de Mir Ali s'engagent... »

Sikandar éteint le récepteur. Ils parlent encore de cette visite.

Sikandar se rend donc au service des urgences de l'hôpital public Hasan-Faraz, avant les prières, ce vendredi matin, une bonne action de sa part.

Il ne prie que pour le bonheur de sa famille. Il y a des mois que pratiquer ne lui apporte plus aucune joie, que même l'habitude ne lui procure plus aucun réconfort.

Il ne vient à l'hôpital que pour s'échapper, pour s'y montrer – bien qu'il sache qu'on ne peut rien entreprendre de sérieux en une heure – et finaliser quelques détails. Ses gardes aux urgences durent généralement au moins huit heures, sans tenir compte du marchandage rituel avec les patients qui s'attendent à être soignés gratuitement dans cet hôpital public qui en mérite à peine le nom. Au bon vieux temps, il y a des dizaines d'années de ça, et seulement pour certains, les hôpitaux publics fournissaient des repas nourrissants à leurs patients hospitalisés, des soins, de l'électricité et des médicaments gratuits ainsi que des conseils postopératoires.

L'explosion a détruit la banque du sang, une grande partie des urgences et le laboratoire d'analyses. Des chats squelettiques rôdent dans les couloirs, se glissant dans des trous de murs abîmés, à la recherche de nourriture. Ils survivent de placenta jeté dans les poubelles médicales restées entrouvertes. Une odeur aigre règne partout. Les échantillons d'urine sont dorénavant stockés au bureau des infirmières. On a beau frotter les murs avec tous les désinfectants d'ordinaire utilisés dans les hôpitaux, les visiteurs sont immédiatement assaillis par une odeur envahissante. Les médecins, eux, n'y font quasiment plus attention.

Sikandar va d'un lit à l'autre sans trop s'attarder, examinant les courbes de température, pressant de questions les internes de garde sur l'historique des patients.

La matinée n'est pas très chargée. Sikandar s'attendait à un rush de fin de Ramadan, mais, à part quelques accidents de circulation et les infections hivernales habituelles, rien de bien sérieux qui ne puisse attendre la fin des prières.

Il parcourt les salles, s'entretenant avec plusieurs confrères en chemin, tous se moquant de la faible fréquentation du matin et pronostiquant un pic brutal de suicides au phénol avant le milieu de l'après-midi.

— La pression est insupportable, se plaignent les médecins ; le jour de l'Aïd, il faut casquer non-stop, pour les enfants de la maison, pour la famille, cinquante billets de cinquante à la fois. Sans compter les vêtements de fête pour les femmes, puis pour les hommes, puis les *daigs* de riz et le ragoût d'agneau qu'il faut servir au déjeuner et au dîner.

— C'est à se flinguer, même pour moi ; je devrais peut-être m'enfiler le liquide de batterie de ma voiture, s'esclaffe un cardiologue reconnu qui ne manque pas une occasion de mentionner sa luxueuse Toyota Corolla récemment acquise à Islamabad avec de l'argent venant d'on ne sait où.

Sikandar administre une claque dans le dos de son collègue.

— Surtout pas, chef, surtout pas. Rappelez-vous, *malgaray* – le liquide de batterie, c'est de l'acide sulfurique. Nos bouquins de médecine appelaient ça du vitriol.

— *Nah baba, teek na da.*

Le cardiologue n'a pas saisi.

— Le vitriol, chef ? Le vitriol, explique Sikandar, parce qu'il est si souvent utilisé pour défigurer les femmes.

— *Kha, Kha !* Ah, oui, quelle horreur, tais-toi.

— Surtout pas, répète Sikandar, mettant ses mains sur ses lèvres pour inviter le cardiologue à se taire avant qu'il n'en rajoute à propos de son suicide imaginaire.

Il quitte ses collègues médecins, se prépare à repartir. Cette diversion lui a offert un bref répit. Sikandar arrête de sourire en parcourant le couloir qui mène à sa voiture où l'attend Mina, sa *dupatta* serrée autour de la tête. Il la déposera à la maison, puis se rendra directement en voiture à la mosquée de la rue Bukhari et reviendra à la salle d'urgences vide pour échapper aux festivités du jour.

Il est sur le point de sortir, la main sur la poignée de la porte, les doigts mouillés par la pluie venue s'insinuer dans le plastique qui la recouvre, quand un bruit de talon résonne sur le trottoir, et Sikandar s'entend appeler par son nom.

— Attendez !

C'est le Dr Saffiyeh, chirurgien de garde aux urgences. C'est une grande femme, aux cheveux courts retenus par un bandeau. Tous les matins, elle se serre les orteils dans de modestes chaussons de gym, parfois assortis au *shalwar kameez* en coton qu'elle porte sous sa blouse blanche. Il ne sait pas comment elle fait, mais le chaos qui règne dans cet hôpital ne semble pas l'atteindre. Sikandar l'a vue arpenter les salles avec plusieurs écritoires à pince serrées sur la poitrine, des externes sur ses talons.

— Il y a une urgence, après la forêt, souffle-t-elle, haletante, en désignant une fourgonnette de l'hôpital, vide.

— Où est l'ambulance ? répond Sikandar qui ne comprend pas pourquoi Saffiyeh lui balance cette nouvelle.

— Partie, ils sont tous à la prière. Tous les chauffeurs. Je n'ai pas pu en trouver un seul. Il y a un accouchement difficile, un risque de mort à la naissance, la famille ne sait pas ce qui lui arrive. La sage-femme est une espèce de charlatan venue donner de la bouse écrasée et de la craie à la pauvre mère en lui faisant croire que les contractions seraient indolores. C'est peut-être un siège, ou l'enfant est peut-être déjà mort. Il faut que vous y alliez.

Sikandar se demande si Saffiyeh connaît son nom. Probablement pas. C'est tout juste si elle fait attention à lui en lui parlant de cette urgence, alors que sa femme est tranquillement assise dans sa voiture. Elle lui tend une petite sacoche en cuir.

— D'ailleurs, une ambulance, en voici une.

Elle tapote la vieille fourgonnette de service de l'hôpital qui a des rayures sur le côté et un Allah en métal pendu, accroché par une chaîne au rétroviseur.

— Je ne peux pas les aider, proteste Sikandar, à quoi vais-je servir pendant l'accouchement ?

Cette façon de jouer la carte des relations entre hommes et femmes est une tentative bien dérisoire, mais il n'a vraiment pas de temps à perdre ce matin.

— Vous savez comment ça se passe maintenant – à quel point les gens sont méfiants. Comment vont-ils bien pouvoir expliquer la présence d'un médecin homme ?

Les frères se doivent d'être tous à la maison pour le déjeuner de l'Aïd : du *biryani* fraîchement épicé avec des tendres *boti* d'agneau, un yaourt avec du concombre glacé et des feuilles de menthe, du lait caillé et un pudding de riz parfumé à la pistache. Il a encore dans la bouche le goût des *parathas* beurrés de ce matin. Il y avait une drôle d'ambiance au petit déjeuner. Ses frères se sont à peine parlé, bien qu'ils aient eu l'air de s'être rapprochés ces deux derniers mois. Hayat était maussade, on aurait dit qu'il n'avait pas fermé l'œil de la nuit. Aman Erum était encore plus fuyant que d'habitude et Mina introuvable. Elle manquerait probablement aussi le déjeuner, après avoir absorbé une de ses pilules pour sombrer ensuite dans une semi-somnolence qui durerait toute la journée. S'il veut pouvoir éviter le reste des festivités de l'Aïd, Sikandar devra au moins être de retour chez lui pour le déjeuner.

— Qui vous demande votre agenda de l'après-midi, *zwe* ? C'est une urgence. Allez-y, réglez le problème, ensuite vous pourrez rentrer chez vous.

Saffiyeh n'en a que pour le boulot. Elle a mis ses mains au-dessus de sa tête pour se protéger du crachin. La pluie a une odeur de terre sèche, même ici, sur ce parking au béton crevassé.

Le Dr Saffiyeh donne du « fils » à Sikandar, alors qu'il a – au moins – sept ans de plus qu'elle et, dans sa barbe naissante, des touffes de poils blancs qui commencent à poindre sur le menton et les joues. Il ronchonne et, de l'extérieur, se penche en avant dans la fourgonnette pour tourner la clé de contact. Elle a l'air vieille, il va falloir la laisser chauffer une minute. Elle hoquette et tousse au démarrage.

— Je ne rechigne pas à l'effort, dit-il, se remettant de l'affront, je travaille sacrément dur, même.

Saffiyeh ne lui prête pas attention. Elle se concentre sur les progrès du moteur de la fourgonnette.

— Je m'appelle Sikandar, s'aventure-t-il, ne sachant pas comment fonctionne Saffiyeh, laquelle semble avoir déjà décidé que ces amabilités sont superflues.

— Je sais.

Saffiyeh se tourne pour lui faire face.

— Nous savons qui vous êtes.

Elle marque une pause.

— Je n'ai jamais eu l'occasion de vous présenter mes condoléances.

Elle fait une nouvelle pause et dévisage Sikandar. Mais elle n'ira pas plus loin.

Sikandar acquiesce.

— *Mehrabani*, merci, dit-il, même si elle s'est contentée de rattraper son oubli.

Saffiyeh regarde devant elle, inspecte le parking en attendant que la fourgonnette ait chauffé ou bougé d'un pouce.

— *Zache zoo, baba*, allez, ordonne-t-elle, frappant le capot de la fourgonnette comme pour la mettre en branle.

Devant l'absence de réaction de Sikandar, elle fait face à son nouveau chauffeur d'ambulance et fronce les sourcils, impatiente.

— Allez, *zoo* !

Sikandar jette un œil à la fourgonnette, qui continue de hoqueter et laisse échapper des volutes noires, fait un rapide saut jusqu'à la Suzuki et, ouvrant la portière côté passager, invite Mina à en sortir.

— Viens, dit-il en lui faisant signe de la main.

Mina le regarde d'un air absent. Elle porte son sac à main serré contre son estomac, comme une bouillotte chaude durant les froids matins d'hiver de Mir Ali. Elle ne veut pas sortir sur le parking.

— C'est pour une urgence, Mina, il leur faut un médecin, ce ne sera pas long et j'ai besoin que tu viennes avec moi.

L'avoir là-bas avec lui rassurera la famille de la parturiente. Ils n'accepteront jamais qu'un homme accouche la femme, même dans une situation d'urgence. Pas au fin fond de ces forêts. Mais la présence de Mina pourrait changer la donne. Elle pourra parler à la mère, distraire la famille, pour que Sikandar puisse travailler tranquillement. Avant, Mina était exactement la femme de la situation pour son mari. Aujourd'hui, il espère juste qu'elle va coopérer.

Depuis qu'elle ne va plus aux obsèques que tous les quinze jours au lieu de chaque semaine – c'était un casse-tête quasi quotidien lorsque Mina était hystérique, terrassée par un chagrin qui semble désormais être devenu son refuge –, Sikandar pense que sa femme est enfin en train de lâcher prise. Il n'a aucune idée de la manière dont elle réagira face à une naissance ; il ne sait pas si cela va la mettre en rage ou bien l'anéantir. L'effet sur elle sera-t-il le même que celui des obsèques ? Il l'ignore. Il ne sait plus vraiment qui est sa femme aujourd'hui.

Lentement, comme si elle était guidée, et sans autre raison apparente, Mina accepte et, sortant de la voiture, se dirige vers l'autre véhicule. Serrant son sac contre elle, elle se hisse dans la fourgonnette et place son *dupatta* derrière ses oreilles, d'un geste qui se veut rassurant, ce qui les fait ressortir de façon quelque peu inesthétique. Sikandar l'observe. Elle lui rappelle soudain les premiers temps de leur mariage, lorsqu'ils étaient encore intimidés l'un par l'autre. Sikandar résiste à une forte envie de toucher Mina. Il entend à nouveau le tintement de tout à l'heure alors qu'elle s'installe sur le siège.

Il ouvre la porte pour se glisser sur la spacieuse banquette avant, et les voilà partis, franchissant les ralentisseurs de la chaussée criblée de trous qui mène à la sortie du parking. Du portail principal, il ne reste qu'un amas de décombres et de colonnes métalliques calcinées.

Sikandar veille à ne pas conduire trop lentement, ni trop vite, d'aucune façon qui puisse attirer l'attention des troupes supplémentaires envoyées en faction à Mir Ali avant l'arrivée du gouverneur.

Mina replie ses bras sur le sac qu'elle a sur les genoux et tripote son téléphone. Sikandar effectue à plusieurs reprises le parcours dans sa tête pour être bien sûr de trouver le lieu où il doit effectuer cette visite à domicile, se remémore le nom des rues, les tournants à prendre. Il n'est pas nerveux, ses mains ne tremblent pas.

Les vitres latérales de la fourgonnette sont ouvertes. Il fait assez frais. Mina continue de vérifier ses messages téléphoniques. Sikandar fait mentalement la liste du peu d'équipement qu'il a emporté, regrettant de n'avoir pas pris plus de choses plutôt que cette passagère un peu spéciale.

Sikandar ferme mieux sa veste doublée d'une peau de mouton qui gratte. Ils traversent le quartier résidentiel de l'hôpital, évitent les voies principales pour prendre tous les raccourcis qui peuvent réduire le temps de trajet vers la forêt, où un enfant s'étrangle, le cordon ombilical autour du cou.

8

Ils traversent la ville sur sa moto, se serrant l'un contre l'autre pour se protéger du froid. Ils foncent à plein régime dans les petites rues, zigzaguant de l'une à l'autre pour éviter les grands axes, trop dangereux. Dans ces ruelles, des enfants traînent à l'ombre de maisons délabrées. On en voit vagabonder partout dans leur quartier en ruine, des traces de morve vert fluo sur les joues, le crâne rasé pour éviter que les poux et autres parasites ne se nourrissent de leur épiderme.

Certains portent un pull par-dessus un *shalwar kameez* crasseux. Usés, en laine, bien trop grands pour eux, ils pendouillent sur leurs épaules et leur recouvrent le ventre, comme des ponchos.

Ils traînent deux par deux, en silence, le regard dans le vide. Certains ont des bâtons, des outils pour fouiller les détritus. Trier des ordures est une activité faite pour eux, à cause de leurs petites mains et de leur taille qui leur permet de s'immerger dans les tas de pourriture s'amoncelant dans les rues de Mir Ali.

Dans ce labyrinthe de ruelles, Hayat ralentit en voyant les enfants. Il ne veut pas les effrayer, ni les sortir de leur torpeur. La chevelure de Samarra vient lui fouetter le cou. Il la sent, un parfum délicat, tandis qu'ils se blottissent l'un contre l'autre pour se protéger de la petite pluie de décembre.

Elle porte un anneau de *raat ki rani* au poignet. Une guirlande de fleurs de jasmin tressées autour d'un brin de métal qui se ferme sur le dessus de la main. Il fut un temps où ses fils d'argent étaient dépourvus de tout ornement. Elle les portait tels quels, les bouts du bracelet de fortune lui égratignant le poignet lorsqu'elle écrivait, s'habillait ou se déshabillait.

Mais c'était il y a longtemps. Maintenant elle les agrémente de jasmin, comme une jeune mariée.

Assise en amazone, Samarra s'accroche à Hayat. Elle ne dit pas un mot. Même quand ils s'arrêtent dans la circulation et laissent passer des voitures ou des véhicules plus conséquents. Elle garde le silence et enfouit son visage derrière son cou. Ça ne se fait pas. Quand elle le touche en public, Hayat lui dit toujours qu'ils se font trop remarquer. « Ça ne se fait pas, même s'ils pensent que nous sommes mariés. » Mais Samarra n'écoute pas, se colle à lui, la joue contre son dos pendant qu'il pilote. « Qu'ils pensent ce qu'ils veulent », répond-elle toujours. Mais Hayat est discret, il l'a toujours été. Il garde le secret sur les choses qui se font comme sur celles qui ne se font pas. Pas de démonstrations d'affection en public. Pas à Mir Ali.

Samarra, elle, ne pilote plus de moto. Plus depuis que Ghazan Afridi est parti ce printemps-là, emmenant la 150 cm^3 chinoise qu'elle avait appris à conduire avec lui, sur les routes montagneuses de Mir Ali. Maintenant, elle est assise derrière Hayat, attentive à rester immobile, pour ne pas faire pencher la moto d'un côté ou de l'autre, suffisamment déséquilibrée qu'elle est déjà comme ça dans la rue en ligne droite qu'ils ont empruntée. Elle est assise derrière Hayat et se tient à lui, écoutant la pluie.

Hayat scrute la chaussée devant eux, attentif à ne pas déranger Samarra en tournant la tête d'un côté puis de l'autre pour s'assurer que les ruelles sont bien dégagées. Il voit à nouveau la grande affiche vert et blanc. « Les militants doivent déposer leurs armes », est-il écrit en pachtoune. « Choisissez d'accompagner les zones tribales sur le chemin d'un progrès inéluctable. » Ils n'ont pas le choix ; ils doivent considérer la fière armée comme leurs défenseurs et protecteurs. Hayat détourne le visage.

Il sent, tandis qu'elle bouge avec lui, que ses yeux suivent son regard, qu'elle déplace son poids, soulevant ses épaules, puis les laissant retomber en un mouvement qui accompagne celui de la moto quand elle penche à droite ou à gauche aux intersections. Il veut lui parler, lui dire quelque chose, quelque chose d'urgent mais, avec le vrombissement du moteur et la rumeur matinale de Mir Ali, elle ne pourra pas l'entendre. D'autant plus qu'elle n'entend pas très bien. Il lui parle à un niveau sonore trop élevé à son goût. Mais elle n'entend pas de l'oreille droite. Hayat ne lui demande pas pourquoi. Lui aussi garde le silence ; parler à Samarra ne rime pas à grand-chose ces temps-ci. Elle semble lointaine, enfermée dans sa rage. Il n'arrive plus à l'atteindre.

Il s'arrête sur une parcelle poussiéreuse à proximité du stade récemment brûlé et se gare parmi les vélos et les rickshaws motorisés.

Hayat descend de la moto et tourne le dos à Samarra en attendant qu'elle rajuste son *shalwar kameez,* puis traverse le parking pour rejoindre l'infrastructure creuse.

Le tissu est d'un jaune défraîchi, joliment brodé de fils bleus très discrets. Elle porte des socquettes, bleu marine, avec des chaussures marron. En hiver, elle se protège les orteils mais pas le visage, ni les cheveux. « On peut te voir, lui dit souvent Hayat. Ce n'est pas prudent, de ne pas te couvrir la tête. Ils vont te reconnaître. » Mais Samarra a passé sa vie à attendre dans l'ombre. Elle est décidée à ne plus se cacher.

Elle ne se préserve pas mieux de la chaleur en été. Samarra se drape les épaules dans un châle sombre qu'elle porte comme un homme, de façon décontractée, négligemment.

Elle suit Hayat silencieusement, trébuche sur la terre crevassée, cherche son équilibre, veillant à ne pas faire trop de bruit mais à ne pas tomber non plus. Du coin de l'œil, Hayat a l'impression de l'avoir vue entrouvrir les lèvres, comme si elle allait parler.

Il s'imagine la voir commencer ou arrêter des phrases, presque comme si elle se parlait à elle-même. Ça fait des années que Hayat ne quitte plus Samarra des yeux. Là, alors qu'ils marchent, il jette de temps à autre un coup d'œil derrière lui pour s'assurer qu'elle le suit bien.

Il y a un petit passage voûté demeuré debout, intact, qui a échappé au dispositif ayant détruit le stade dans lequel les hommes de Mir Ali se rassemblaient pour regarder le cricket et même le hockey lorsque l'été était clément et que le soleil ne tapait pas trop. Le hall d'entrée avait été rattaché à une annexe abritant l'entourage relativement important d'athlètes relativement importants, ou bien les ministres et gouverneurs extrêmement importants qui venaient se faire photographier sur ce gazon pourri.

Cette annexe avait été démolie par un bombardement de drone. Il n'en reste que l'entrée.

Hayat se dirige vers les plus gros tronçons en donnant des coups de pied dans des blocs de ciment au passage. Il ne veut pas que Samarra s'assoie sur le sol, humide et boueux. Avec la paume ouverte de sa main droite, elle essuie la pluie sur une plaque de ce qui a dû être un toit, un plafond, ou un mur, et s'y installe, posant son long sac de toile à ses pieds. Pas Hayat, qui reste debout à lutter contre ses pensées. Tout est calme, aucun bruit alentour, mais il ne parvient toujours pas à trouver les mots. Samarra est la première à parler.

— Je ne pensais pas avoir été nerveuse dans la salle de cours. Je ne pensais pas avoir été différente des autres fois où nous nous sommes réunis pour discuter des opérations. Il n'y a pas de chauffage dans ce bâtiment, tu sais comme il y fait froid, surtout avec la fenêtre ouverte et Nasir qui fumait cigarette sur cigarette. N'empêche que quand j'ai pris la parole, je me suis mise à transpirer, j'ai senti ma peur.

Samarra croise et décroise les chevilles.

Elle a oublié comment rencontrer le regard des hommes à qui elle s'adresse. Elle s'en détourne, le menton dans le creux de son épaule pendant qu'elle parle, les yeux fixés sur quelque chose de lointain et de flou qu'elle seule peut voir.

Hayat sent venir une pause dans le monologue décousu de Samarra. C'est maintenant qu'il devrait parler, avant qu'elle ne reprenne.

Il fait un pas vers elle.

Elle lève les yeux, s'extrayant de la tristesse du décor.

— Arrête, dit-elle, en le regardant pour la première fois.

9

Aman Erum fit la connaissance du colonel Tarik lors de son second entretien, quand on le rappela à l'ambassade américaine. Au parc d'activités, il fut reçu par un homme courtois, en civil, qui avait l'air étranger mais parlait parfaitement le pachtoune.

On le fit asseoir dans le salon VIP, avec canapé en cuir, gaufrettes pour VIP et télécopieurs ronronnant, loin de la multitude de gens se pressant pour arriver les premiers au parc d'activités et occuper les meilleures places dans les bus de l'ambassade. On lui offrit une tasse de thé et un assortiment de petits pâtés au poulet ou au bœuf pour lui et son accompagnateur, en attendant que quelque chose se produise. Aman Erum ôta son écharpe et son chapeau en laine, et but son thé, à petites gorgées, pour laisser de côté la couche de lait coagulé, puis cassa doucement la croûte d'un mince pâté à la viande.

Il se disait qu'ils ne l'auraient pas fait revenir pour annuler son visa de travail. Ils auraient très bien pu faire ça par courrier. Aman Erum avait oublié de se munir d'un mouchoir et il avait les doigts gras à cause du petit pâté. Il était en train de s'essuyer discrètement les mains sur son pantalon fait par Zulfikar et fils, quand une Jeep blanche s'arrêta devant le bâtiment. Dotée d'antennes et de plaques officielles, elle était conduite par un homme de petite taille, en uniforme. L'accompagnateur d'Aman Erum l'informa qu'ils allaient être conduits au lieu de rendez-vous.

Aman Erum n'était pas nerveux ; il le voulait tellement, ce visa. Il voulait être libre, libre de se déplacer sans préavis, d'étudier, d'apprendre, d'élargir son horizon jusqu'ici limité à une ville frontière. Il y avait bien trop longtemps qu'il était en quarantaine à Mir Ali. Tout – la réussite, le bien-être, le respect – lui semblait hors d'atteinte ici. Il voulait être un homme libre. Il ambitionnait une vie meilleure que celle de ses parents, le luxe, du confort, la possibilité de faire des choix. Il voulait plus que ce que Mir Ali pouvait lui offrir. Pour être sincère, il voulait aussi le thé au lait et les petits pâtés encore chauds. Il voulait être accueilli dans une entrée séparée, être conduit par des chauffeurs discrets, accompagné par des contacts étrangers lui demandant si tout, le thé, les petits pâtés, était à sa convenance.

Le trajet fut bref, ils n'empruntèrent pas l'itinéraire classique que le bus d'Aman Erum avait suivi pour entrer dans l'enclave diplomatique la fois précédente. En quelques minutes, peut-être trois, la Jeep blanche s'arrêta devant un petit bungalow avec un bout de jardin devant.

Une femme blanche vêtue d'un tailleur bleu sévère apparut à la porte d'entrée. Ses cheveux de couleur caramel coupés court bouclaient sur les oreilles et formaient un bel arrondi sur sa nuque.

— Entrez, je vous en prie, dit-elle, s'avançant dans le couloir, jusqu'au salon.

Il n'y avait pas de photos aux murs, c'était plutôt une salle d'attente. L'endroit ne paraissait pas habité. Les canapés étaient d'un rose pâle, les murs d'un beige triste, les plantes en pots artificielles.

— Madame, dit un homme en uniforme qui se leva à leur entrée.

Il était mince. Il avait dû être svelte dans sa jeunesse, mais n'avait désormais plus aucun tonus musculaire. Des mèches de cheveux d'une couleur terreuse étaient plaquées sur son crâne dégarni.

— Vous voilà pleine de ressources une fois de plus – quand il s'agit de nous trouver les meilleurs et les plus brillants éléments.

Il sourit et tendit la main à Aman Erum. À sa main gauche, il portait une alliance en or rose.

— Colonel Tarik Irshad, *grana*. J'ai beaucoup entendu parler de vous, ajouta-t-il.

Aman Erum réalisa tout d'un coup que cette femme blanche qui les avait accueillis à l'entrée n'était pas là uniquement pour les introduire. La présence d'un représentant de l'armée à ses côtés le remplit d'appréhension.

Il comprit aussi que le colonel Tarik n'était là que pour jouer les seconds rôles auprès de cette femme. Tout ce qu'elle souhaitait, il le demandait. Tout ce qu'elle attendait du séjour américain d'Aman Erum, il l'exprimerait.

Aman Erum était doté d'une belle intelligence, dirent-ils. Il avait des dons exceptionnels : sa vivacité d'esprit, son désir de s'intégrer, sa faculté de dissimuler son accent lorsqu'il parlait à des officiels et de faire profil bas parmi les siens. Ils voulaient qu'il ne fasse rien d'autre que ce qu'il faisait déjà. Qu'il écoute, voilà ce qu'ils voulaient.

— Bien entendu, ce n'est pas une obligation, dit la femme, haussant les épaules et se tournant vers le colonel.

Aman Erum pouvait rester sur place, à Mir Ali, ils auraient un œil sur lui. N'était-il pas le fils d'Inayat Mahsud ? Comment la famille s'en sortait-elle ces derniers temps, depuis que son père était malade ? Où en étaient ses projets de vie, pour lui et sa famille, maintenant que les choses avaient changé pour eux ? Des études, c'est ça ? Un luxe, non ?

Aman Erum ne voulait pas en entendre davantage. Comment pouvaient-ils être au courant de la maladie de son père ? Aman Erum demanda au colonel, les mots sortant étouffés de sa gorge, pourquoi ils avaient commencé par le refouler.

— J'avais postulé pour entrer dans l'armée, et vous n'avez pas voulu de moi.

Il s'énerva sur ses manches de chemise, les tirant sur les poignets, pour ne pas trop montrer son irritation.

Le colonel se recula dans son canapé rose. Son sourire s'estompa. Il montra les dents.

— Regarde ce qui s'est passé en 71, dit-il, quand ces salauds se sont mutinés pour rallier le Mukti Bahini. Ils se sont emparés de nos armes et de nos munitions. C'est comme ça qu'ils nous ont eus. Ils nous ont fait prisonniers avant qu'on puisse les capturer.

Ç'avait été la plus importante capture de soldats depuis la Seconde Guerre mondiale.

Le colonel Tarik se redressa tout en faisant tourner son alliance sur son doigt.

— Mais nous te tendons à nouveau la main, n'est-ce pas, *grana* ?

Aman Erum proposa lui-même les termes de l'accord. Ils n'eurent même pas à lever le petit doigt. Accéléreraient-ils l'obtention de son visa d'étudiant s'il acceptait de s'engager, d'être à l'écoute et de partager avec eux les secrets qu'il pourrait apprendre ? Pourrait-il bénéficier de plus de neuf mois de travail rémunéré avec son visa d'étudiant ? Le colonel Tarik et ceux de son espèce exerçaient subtilement un pouvoir qui dépassait les limites du supportable pour ceux qui en pâtissaient. Mais Aman Erum avait l'impression d'être différent. Il croyait avoir compris ce qu'était le pouvoir. Il pensait avoir des atouts en main.

— Oui, on pourrait peut-être arranger ça, dit le colonel Tarik, caressant l'accoudoir du canapé comme pour accompagner chacun de ses mots d'un mouvement de la main, son alliance en or rose tournant autour de son doigt.

Voilà comment l'affaire s'était conclue.

Il n'y avait même pas eu de menace – juste une question.

Une note sur un formulaire de données biographiques : il était le fils d'Inayat Mahsud, n'est-ce pas ?

Il obtiendrait très vite son visa ; il recevrait suffisamment d'argent pour pouvoir bénéficier d'une chambre dans la résidence universitaire.

Mais c'était tout. Il ne s'agissait pas ici d'un accord financier. L'argent n'était pas le mobile. C'était un engagement de patriote, motivé par le sens du devoir.

Le colonel lui ferait signe.

10 h 12

10

Sikandar a les yeux rivés sur la route pendant que Mina tripote son téléphone, puis son sac, puis son châle qui n'est pas assez chaud, jusqu'à ce qu'elle finisse par se tourner vers son chauffeur.

— Si tu conduis aussi lentement, autant faire demi-tour.

Il laisse la remarque flotter entre eux, en suspens. Il ne conduit pas lentement. Sikandar conduit comme on le fait à Mir Ali : avec prudence. Il appuie sur la pédale d'accélérateur, mais lève sans arrêt le pied, un œil sur tous les rétroviseurs à la fois, l'autre sur le pare-brise. Il n'a pas de ceinture de sécurité.

Mina enroule le châle autour de son cou et reprend sa position sur la banquette.

Le cuir des garnitures est froid, collant sous elle, et elle remue en quête d'un peu de chaleur, ses cuisses émettant un petit bruissement au contact du siège. Elle vérifie que la vitre est bien remontée. Il y a un courant d'air quelque part. Elle tourne la manivelle jusqu'à ce qu'elle se bloque. Elle regarde le petit interstice de la fenêtre de Sikandar par lequel entrent des gouttelettes de pluie qui viennent se poser sur ses mains cramponnées au volant.

— Il n'y a pas un seul militaire en vue. Tu crois que cette bande de feignants d'appelés se sortiraient du lit aussi tôt un matin d'Aïd ? dit Mina, essayant de ne pas rire, tirant sur son châle avec un mouvement de la main en direction de la route dégagée et déserte.

Elle ne peut pas s'en empêcher.

— Ils sont encore bien au chaud dans leurs casernes, ajoute-t-elle. Le temps qu'on arrive à cette adresse, ils auront tout juste fini de lacer leurs rangers.

Sikandar ne sait pas si elle essaie de faire la paix et d'avoir une conversation qui ne soit pas qu'accusations ou supplications. Il en a eu son compte. Il appuie soudain fortement sur l'accélérateur et la fourgonnette fait un bond. Mina tend une main devant elle et se rattrape juste à temps au tableau de bord.

— Et là, ça va mieux ?

Mina repose sa tête sur le dossier de son siège.

— *Kha, za ista der mashkoor aim.* Oui, bien mieux, merci.

Elle rit jusqu'à ce que des larmes noires lui coulent sur les joues.

— *Der manallah.* De rien, je t'en prie, répond-il entre ses dents tout en riant avec Mina.

Pour la première fois de la journée, il éprouve un sentiment de légèreté.

Mina sourit et efface de ses pouces les traînées charbonneuses qu'elle a sous les yeux. Elle porte aux doigts des talismans venant de son mari, de sa famille, de ses frères et sœurs, et de ses collègues. Chaque nouvelle amulette vient se superposer aux précédentes. Des anneaux d'argent avec des prières gravées à l'intérieur et des pierres semi-précieuses hautes sur leur monture.

Sikandar jette un œil vers Mina alors qu'elle s'essuie le visage. Elle surprend son regard, glousse.

— « Si tu aimes leur beauté, regarde-les bien, lui chante-t-elle, exhibant ses doigts chargés de bagues au-dessus des mains de Sikandar sur le volant, car quand ils seront partis, ils ne reviendront plus. »

Mina imite la pluie avec ses doigts tout en chantant le couplet.

Mina avait toujours été le parent de l'été. Zalan était encore plus le fils de sa mère d'avril à septembre, chantant avec elle dans la voiture, lui brossant les cheveux quand son peigne s'était emmêlé et gardant ses clés en sécurité dans sa poche quand ils quittaient la maison.

Lorsque les assauts du froid hivernal s'éloignait, qu'on ne se calfeutrait plus chez soi, Zalan allait faire les courses avec sa mère. Sinon, il suivait ses oncles partout, espérant les convaincre de l'emmener au parc. Aman Erum ne savait pas très bien s'y prendre avec les enfants. Même s'il adorait Zalan, celui-ci faisait toujours attention quand il était avec l'aîné de ses oncles. Il avançait sur la pointe des pieds, ne sachant jamais quand il serait d'humeur à aller faire un tour avec lui. Hayat, au contraire, ne disait jamais non à Zalan. Il l'asseyait sur ses genoux et l'emmenait au parc à moto. Zalan adorait la moto, il adorait le bruit qu'elle faisait, sa façon de pétarader à ses oreilles et la sensation de l'air sur sa langue tandis qu'ils filaient à travers Mir Ali.

Mina regarde Sikandar de biais en faisant son numéro, claquant des doigts lorsqu'ils ne dansent pas, veillant à ce que la glace qui a été rompue ne se reforme pas. Elle est rassurée en voyant que le pied de Sikandar bat la mesure sur la pédale au rythme de sa musique.

C'est la Mina dont se souvient Sikandar, celle d'il y a des mois et des mois. Mais elle apparaît, puis disparaît, par vagues.

Il y a tout juste deux semaines, Mina et Sikandar se sont affreusement querellés. Il en avait eu assez. Après qu'un correspondant de plus l'avait appelé, horrifié, exigeant qu'il vienne chercher sa femme, Sikandar s'était finalement résolu à affronter le problème.

Il est allé chercher Mina dans la maison de ces étrangers et ne lui a pas dit un mot sur le chemin du retour. En arrivant dans l'allée, elle sortit rapidement de la voiture et courut vers la maison en serrant les bras sur sa poitrine pour se réchauffer.

Sikandar resta un moment encore dans la voiture, les doigts sur le frein à main. Il coupa le contact et retira la clé. Il se rappela tout d'un coup qu'il devait retourner à l'hôpital pour s'occuper du tableau de service des internes. Il posa les mains sur ses genoux. Il lui fallait d'abord rentrer et parler à Mina. Il n'y était pas parvenu jusque-là, mais il ne pouvait plus supporter cette situation.

Elle était dans leur chambre, assise sur ses talons devant les journaux du matin, et passait toutes les pages en revue. Le papier était si mince que ses doigts déchiraient le bord des pages en les tournant.

— Mina.

Sikandar se tenait derrière sa femme.

Pas de réponse.

— Mina, répéta-t-il, baissant la voix au lieu de l'élever, qu'est-ce que tu fais ?

— Tu sais bien, cracha-t-elle à son mari par-dessus son épaule, tournant son visage vers lui. Tu sais très bien ce que je suis en train de faire. Je suis bien la seule à m'y intéresser, la seule à ne pas avoir arrêté de chercher.

Sikandar connaissait par cœur le déroulement de ces affrontements. Mais il ne pensait plus avoir la force de continuer à tenir le rôle qu'elle voulait lui faire jouer.

— Il ne reviendra pas, dit-il, s'écartant du scénario habituel. Il n'est pas avec eux, pas avec ces étrangers dans la vie desquels tu n'arrêtes pas de t'immiscer. Il n'a jamais été avec eux. Il n'est plus là, c'est tout.

Toujours par terre sur ses talons, Mina se retourna et se répandit en invectives contre son mari, lui jetant des mots pleins de fiel et de colère à la figure.

Elle hurla qu'il était une souillure pour sa famille, agitant les mains en l'air. Comment un rustre pareil avait-il pu naître dans cette famille ? Elle avait bien des défauts, certes, cria-t-elle, mais elle ne manquait pas de foi, même si l'impiété de son mari était un fardeau pour elle.

Sikandar regardait la bouche de sa femme, déformée par le chagrin, par les insultes. Elle s'étranglait à chaque mot ; les prononcer semblait lui être une souffrance. Il entendit des pas traînants de l'autre côté de la porte. Zainab. Sikandar espérait que sa mère, qui allait et venait à pas feutrés dans la maison, toujours en pantoufles, n'avait pas entendu Mina crier. Il courba la tête, priant pour que Mina se calme, pour qu'elle baisse le ton. Mais ses gémissements blessés le firent revenir à sa position initiale. Il était incapable de parler, obligé de reconnaître avec elle qu'il avait tort. Il avait toujours tort. Rien ne pouvait apaiser Mina quand elle était de cette humeur, même qu'il l'admette.

Elle écarta les cheveux de son visage, ses longs cheveux autrefois bruns, maintenant blancs aux racines et cassants aux pointes, et repoussa de la pile de journaux celui qu'elle était en train de déchirer pour le remplacer aussitôt par un autre.

Les imprimeries fermaient souvent pour les fêtes religieuses ou les célébrations nationales, mais ça ne dérangeait pas Mina. Elle empilait, conservait et stockait des journaux durant des semaines, des mois. Elle finissait par s'en débarrasser, quand les réponses apportées n'étaient plus d'actualité, ou après qu'ils l'avaient orientée vers des obsèques ou des commémorations désertes.

Elle savait ce qu'elle cherchait, même si personne ne la comprenait. Ils pensaient qu'elle était juste devenue folle. Mais elle savait qu'être avec d'autres était la seule chose qui lui avait permis de ne pas perdre la raison et apporté un peu de réconfort.

Elle se transformait entre les obsèques. Elle n'avait pas d'autres exutoires ni de buts dans la journée. À partir du moment où elle décida d'abandonner son poste d'enseignante à l'université, elle répartit son temps en fonction des rubriques nécrologiques des journaux.

Le prix de ces rubriques nécrologiques dépendait du nombre de signes. Les familles devaient payer un supplément pour une photo entourée d'une bordure noire soulignée de chagrin. La plupart des annonces se limitaient à une date de naissance, aux noms de ses proches, une invitation à se souvenir du défunt et à prier pour lui. C'était tout ce qui leur restait.

Ces deux-là le mardi, le *dreham* de l'édition du mercredi matin l'après-midi, les annonces nécrologiques du journal du dimanche réunies et conservées en prévision de plusieurs moments dans la semaine... Elle avait commencé à programmer ses journées en créneaux de deux heures. Il y avait le décompte des graines de tamarin brunies sur des draps de lit blancs vides. Et les prières pour les morts qu'elle connaissait par cœur et qu'elle récitait encore et encore, à voix basse, tout en se balançant d'avant en arrière. Dans ces moments-là, Mina restait à peu près calme.

Elle pénétrait chez les gens avec une tranquillité qui lui venait du sentiment de se rapprocher de Zalan, d'être sur le point de le retrouver, de savoir ce qu'était devenu son fils et ce qui l'attendait. C'était quand on venait la chercher et qu'on l'emmenait, souvent de force, que Mina, comme pour se venger, redevenait cette femme blessée qui crachait, jurait et trépignait jusqu'à ce qu'on la laisse ressortir à nouveau.

Retrouver sa propre douleur dans les rides des visages d'autres femmes, chercher son fils parmi d'autres garçons trop tôt disparus, savoir qu'existait une communauté de veuves et d'affligés qui comprenaient sa souffrance était un réconfort. Elle n'avait pas réussi à traduire ça, à expliquer ce qu'elle ressentait, mais que ses rituels soient compris était secondaire. Que tout cela soit mal interprété ne l'empêchait pas de dormir.

C'était la haine, la colère qui la dépossédaient d'elle-même. Mina était absolument convaincue qu'on aurait pu le sauver. Zalan aurait pu être sauvé. Il y avait beaucoup de gens qu'elle tenait pour responsables de ne pas avoir répondu à l'appel de vie de son petit garçon.

Chez elle, elle portait la même tunique déchirée, effilochée au col et aux coudes. Elle avait troué son *shalwar kameez* aux genoux à force de se traîner comme une folle par terre, entre les piles de journaux qu'elle conservait pour une consultation ultérieure et celles qu'elle écartait après en avoir épuisé les ressources.

Elle ne se faisait plus les ongles, bien qu'au salon de beauté de Tabana elle ait un jour jeté son dévolu sur un vernis blanc argenté. La couleur des sommets enneigés de l'Himalaya, avait dit Mina.

Elle ne pensait plus à ce genre de chose dorénavant. Elle ne se faisait plus qu'un trait de khôl, noir acier, autour des yeux. Ce khôl, qu'elle achetait au marché, était vendu dans des boîtes d'allumettes dont les bâtonnets étaient trempés dans de la poudre noire dense, faciles à utiliser et jetables après application.

Elle les gardait sur une table de la salle de bains, jetant les allumettes dont le khôl avait taché la tête ainsi que celles qui n'étaient pas en parfait état. C'était une tradition qui lui venait de son village, de l'époque où elle était petite fille, restant fidèle aux boîtes bon marché et refusant de passer aux nouveaux eye-liners, très populaires et vendus en bâtons brillants, bleu et rouge, avec un capuchon détachable et un miroir collé sur le côté.

Elle n'avait plus du tout l'allure de la femme qu'elle avait toujours été, ne s'habillait plus comme elle, ne lui ressemblait plus.

Non, cette discussion-là n'était pas nouvelle pour Sikandar. Elle avait crié, pleuré, aboyé quand, très tôt, il avait commis l'erreur de lui poser des questions. Il avait vu sa femme, dont les mains tremblaient, tout à son désir de convaincre, s'efforcer de retenir ou de refouler ses larmes par des clignements d'yeux, le supplier d'une voix qui se brisait, tant elle avait besoin d'être crue, qu'il soit de son côté. Besoin de savoir qu'elle était aussi proche de retrouver Zalan qu'ils l'avaient été au cours de l'année passée, depuis qu'ils l'avaient perdu.

Sikandar se mit donc à genoux lui aussi et s'assit sur ses talons à côté des journaux que Mina avait écartés.

— Il ne reviendra pas, répéta-t-il, en rapprochant son corps du sien pour que, cette fois, le froissement des journaux ne puissent pas étouffer ce qu'il disait.

Il parla fort, un cran ou deux au-dessus du ton penaud, presque un murmure, qu'il avait employé auparavant avec elle. Sikandar sentit son souffle sortir de sa bouche. Il avait du gravier dans la voix.

— Il n'est plus là, Mina.

Maintenant qu'ils font route vers la forêt, Sikandar n'est plus agacé que son programme de la journée ait été perturbé. De légers tiraillements d'estomac provoqués par la faim, c'est tout ce qu'il ressent. Mais il n'en tient pas compte ; il rit et chante avec Mina tout en conduisant.

Ce détour imprévu a arraché Mina à sa dépression. Sikandar commence à entrevoir des moments de guérison. Il se rend compte qu'il les avait interprétés à tort comme des signes d'inquiétudes à venir. Mais maintenant, avec le recul, il espère que ces rechutes – aller aux obsèques d'aujourd'hui, tripoter son sac à main d'un air sombre, consulter son téléphone portable en permanence – ne sont en fait que les dernières manifestations du chagrin de Mina. Additionnées les unes aux autres, elles s'expliquent, se dit Sikandar.

Il a honte de la manière dont il s'est opposé à Mina deux semaines plus tôt.

Aujourd'hui, il ne lui a pas parlé avec colère. Il ne lui a pas parlé avec condescendance dans la voiture, lorsqu'ils ont quitté les obsèques. La dernière fois, il l'avait secouée trop fort. Elle le savait ; il savait qu'elle le savait. Pour lui, c'était suffisant.

Il conduit pendant que Mina chante et change de position sur son siège grinçant. Elle oublie le reste de la chanson, mais remplace les paroles manquantes par la poésie de Ghani Khan.

Mais montre-moi juste cette chose-là, ma mie.
Je cherche un cœur taché comme un coquelicot.

Ils ne connaissent pas la suite du poème par cœur, si bien qu'ils chantent les paroles dont ils se souviennent en traversant Mir Ali pour aller vers les quartiers pauvres.

D'autres parties de Mir Ali, même les faubourgs, ont eu droit au grand nettoyage du matin. Des hommes promenant leurs petits manèges ambulants avec toboggans et balançoires à quatre places déplacent leurs charrettes pour aller les garer dans les endroits les plus déshérités et vendre des tours à deux roupies aux enfants. Mais ailleurs que dans ces camps de réfugiés récemment surpeuplés, personne n'est venu de l'extérieur pour installer des attractions en prévision de l'Aïd.

Ils passent à côté des taudis de la rue Haji-Abdullah-Shirazi-Khan : des petites maisons, toutes simples, aux bardages branlants, dont les toits ne sont pas décorés de guirlandes de lumière pour l'Aïd.

La fourgonnette de livraison de l'hôpital, vitres bien remontées, sauf une, sort de Mir Ali, dépasse les *chaikhanas*, ou maisons de thé, bondées d'hommes qui sirotent du thé à la cardamome fumant, puis le vendeur de fruits séchés et ses sacs de jute informes.

Sur leurs motos, des hommes, d'épais foulards autour du visage pour se protéger de la bruine matinale, poussent leur moteur et les pots d'échappement émettent des bruits qui rappellent les pétards aux oreilles innocentes. On entr'aperçoit des jeunes filles vêtues de *shalwar kameez* flambant neufs et voyants, lèvres peintes d'un rouge pourpre et sourcils reliés par des petits *bindis* de couleur prune ou fluorescents comme les derniers en vogue, assortis à leurs vêtements de fête. Même les travestis de la ville, de grands gaillards aux *shalwar kameez* tendus par des bras musclés, marchent dans les rues mouillées de Mir Ali, bras dessus, bras dessous, claquant des mains et demandant aux voitures qui passent des aumônes censées répandre tous les bienfaits de l'Aïd sur les âmes généreuses.

Mais, au-delà de Mir Ali, les routes sont sauvages. Elles courent sur des kilomètres de forêt de pins et de terres rocailleuses jusqu'à la frontière nord du pays. Il fut un temps où Mir Ali bougeait avec les soubresauts de son époque, oscillant presque – pas tout à fait – au rythme des roseaux de la forêt. La ville abritait des bergers et des forestiers, était devenue un refuge pour les princes mendiants et les sages mystiques. Mir Ali avait été comme ça à une certaine époque.

Mais ceux qui ont connu et aimé ce royaume enchanté qui n'en était pas tout à fait un ont observé les vagues déferler et conquérir Mir Ali, la façon dont les divisions l'ont faite et défaite.

Beaucoup de gens vivent désormais en lisière de la ville.

En plus des forestiers, il y a les voleurs de bois, les bohémiens, des familles qui vivent dans une misère noire, se chauffent autour d'un feu et habillent leurs enfants de guenilles. Il y a les exclus, les clandestins, les réfugiés qu'on a oubliés. Et puis il y a ceux qui se cachent parmi les miséreux, des hommes qui exploitent les désespérés et les déshérités. Ceux-là cherchent à se faire accepter, abusent des populations abandonnées de la périphérie. Ce sont des étrangers parmi les leurs.

Il y a des mois que Mina n'a pas ri de la sorte. Sikandar n'a pas vu un sourire éclairer aussi longtemps son visage depuis que c'est arrivé. Avant, avant le drame, elle était toujours comme ça.

Elle claquait des doigts partout où elle entendait de la musique. Elle accompagnait de son chant le bruit des vélos au passage des enfants qui fonçaient à toute allure devant le portail en direction du terrain vague tout proche pour jouer au cricket. Mina encourageait aussi Jahanzeb, le garçon de cuisine hazara, qui avait une jolie voix de fausset, à chanter alors qu'ils hachaient les oignons, ou écrasaient les piments verts, et elle marquait le rythme en tapant sur le plan de travail avec son couteau.

C'est la musique qui a disparu en premier.

Les couleurs se sont adoucies depuis qu'ils ont quitté les artères principales de la ville, il n'y a plus autant de monde, tout est plus calme.

Cette journée a quelque chose de particulier, une beauté inattendue pour Sikandar. Quelque chose a changé. La lumière a percé à travers le brouillard matinal de décembre.

Sikandar est totalement pris par l'instant présent, par la vision de cette éclaircie et par le son de la voix de Mina, jusqu'à ce que, quelques secondes plus tard, la fourgonnette de livraison de l'hôpital public Hasan-Faraz soit contrainte de s'arrêter.

11

Aman Erum s'adapta étonnamment bien à son nouveau continent. Après un très long voyage qui dura plus de deux jours, avec le billet le moins cher et le plus improbable que Bismillah Voyages avait pu lui trouver, il avait le sentiment de n'avoir jamais été aussi éloigné de Mir Ali.

Ce qui était le cas, bien sûr. Mais quitter la maison était une chose, la quitter en suivant l'itinéraire le plus économique de Bismillah Voyages en était une autre. Aman Erum vola d'abord de Peshawar à Doha – où il se promena parmi les parfumeries hors taxes, exemptes des odeurs corporelles si prégnantes dans l'aéroport de Peshawar, et où il se demanda pour la première fois pourquoi les gens allaient au-delà des aérogares alors que ces terminaux brillamment éclairés avaient largement de quoi les garder occupés ; de Doha à Amman – où il se brûla la langue sur un dé à coudre de café arabe ; de Amman à Londres – sa première expérience de la misère des toilettes occidentales, où un rouleau de papier remplace le *lota*, et où il marcha pour la première fois sur des tapis roulants, accablé par une pénible sensation de saleté, jusqu'à ce qu'il se retrouve sur un vol Swiss Air ; de Londres à Zurich – où il dut patienter presque une demi-journée avant d'être interrogé par un grand blond qui se donna apparemment beaucoup de mal pour obtenir de lui une raison précise à son voyage aux États-Unis, lui faisant ensuite signe de passer pour qu'il puisse aller prendre place sur un siège tellement exigu qu'il fut obligé de se plier en deux, devant son plateau de dîner non halal.

Aman Erum arriva finalement dans le New Jersey avec le sentiment qu'il avait laissé derrière lui toutes traces de Mir Ali. Il marcha sans baisser la tête. Il regarda les fonctionnaires – surtout les fonctionnaires – droit dans les yeux.

Il laissa son accent à la porte des services de l'immigration. Il l'avait modifié, amélioré au fil des années, travaillant les voyelles, se débarrassant de ses inflexions. Il n'avait pas fait tout ce chemin pour emporter Mir Ali avec lui. Il se délesta de son pays comme d'un fardeau. Au bout de quelques semaines, si on lui demandait ses origines, il répondait qu'il venait d'Inde ou de Dubaï, pour voir ce qui était le plus crédible. Ça marchait pour les deux. Il ne détrompa jamais personne. Il se fit couper les cheveux, s'acheta des vestes polaires dans une friperie, se familiarisa avec le papier toilette, lut des livres pris sur les rayons des librairies indépendantes de Montclair, fréquenta des restaurants chinois et fit ses courses dans des épiceries coréennes.

Le visa d'Aman Erum, travail et études, lui autorisait un emploi au service des inscriptions, cinq jours par semaine. Pour financer son séjour dans le New Jersey, Aman Erum devait travailler deux fois plus qu'il n'étudiait. Il se tenait debout derrière un bureau à hauteur de poitrine – toujours debout – et classait des reçus, tamponnait des signatures au bas de documents officiels et remplissait des enveloppes durant des heures tous les matins. Il n'était pas habitué à une tâche aussi fastidieuse. À Mir Ali il confiait ce genre de travail à un frère cadet. Mais il comprit qu'ici, aux États-Unis, travailler dur était la clé de tout. C'était la garantie d'avoir les coudées franches.

Il observa les femmes du service des inscriptions ; il vit une assistante de doyen jamaïcaine réprimander une secrétaire pour des peccadilles avec un accent à peine intelligible. Aman Erum comprit qu'on pouvait partir de très bas, mais aussi grimper très vite les échelons de la réussite. Il serait vite meilleur que l'assistante du doyen. Il ne lui fallut que quelques mois pour imiter son patois à l'intention de ses camarades d'étage qui se souvenaient encore de la manière dont elle s'était exprimée pour son discours d'accueil. Rien ne pourrait le détourner de son rêve étranger, pas même le travail le plus rebutant. Aman Erum était un évadé.

Il économisait en lisant ses livres d'études à la bibliothèque. Il y passait ses jours et ses nuits libres, un réveille-matin à côté de lui, avec, autour des épaules, un mince *razai* que sa mère avait glissé dans sa valise, à étudier, penché sur un bureau près des rayonnages. La lumière était faible mais les bavardages des étudiants sur leurs téléphones portables résonnaient toute la nuit.

Parfois il roulait son *razai* et le plaçait entre sa tête et le bureau pour dormir une heure ou deux. On lui avait attribué un logement étudiant, mais il était tellement coûteux qu'il envisagea de demander le remboursement d'un trimestre de loyer pour aller s'installer entre les rayonnages et discrètement, sans déranger personne, dormir sous les bureaux sur lesquels il étudiait.

Un certain nombre des Pakistanais venus grâce à des bourses scientifiques et à un cursus universitaire incluant une année à l'étranger, qui étaient trop investis dans leur projet personnel pour suivre de près la politique pakistanaise, ne se rendirent pas compte qu'Aman Erum ne se sentait pas des leurs. Ils avaient tout de suite vu, pourtant, qu'il leur ressemblait. Ils ne furent pas dupes. Ses nouvelles inflexions et ses attitudes très étudiées ne les empêchèrent nullement de rechercher sa compagnie. Ils lui proposèrent à de nombreuses reprises d'adhérer à leur association des étudiants musulmans. Il refusa poliment, arguant qu'il avait trop de travail.

Pendant le mois de Ramadan, ils l'invitèrent pour l'*Iftar*[8] et lui promirent un hébergement privilégié s'il se joignait à quatre ou cinq d'entre eux, candidats à un financement dans le cadre d'un plan de logement d'étudiants pakistanais. La nourriture serait halal, promirent-ils, les toilettes équipées de *lotas* et les chambres conçues de sorte que la porte soit orientée à l'est, vers La Mecque, pour favoriser la prière. Et, bien entendu, les sexes seraient séparés comme il se doit, sous le contrôle de frères et de sœurs vertueux, agissant comme assistants du directeur et surveillants de la résidence universitaire.

Aman Erum refusa chaque fois, poliment. La mixité ne lui posait aucun problème. Sa gaucherie avec les jeunes filles en jean diminua avec le temps, et il commença à se sentir chez lui à Montclair. Il appréciait la vie à Bohn Hall, au douzième étage. Il n'avait jamais fréquenté

8. Repas de la rupture du jeûne pris chaque soir pendant le mois de Ramadan.

de gens aussi différents jusque-là. Les filles très sûres d'elles de l'étage où il vivait lui rappelaient Samarra. Elles étaient fortes, indépendantes et ne se laissaient pas marcher sur les pieds. Adriana était originaire du New Jersey mais avait de la famille à Porto Rico. Elle et sa camarade de chambre, Panthea Denopoulos, une étudiante grecque de première année – dont Aman Erum n'arrivait pas à prononcer correctement le nom malgré tous ses efforts, et qu'il finit par appeler par ses initiales prononcées à l'américaine, PiDi –, furent ses premières amies. Adriana prit Aman Erum dans son équipe pour une partie amicale de *touch football* lors de la semaine d'accueil des étudiants. Il n'y avait jamais joué auparavant. « Fraîchement débarqué », le baptisa-t-elle. « C'est simple, Fraîchement débarqué. Nous sommes tous des receveurs. Il n'y a pas de coureur arrière. » Aman Erum se contenta de la fixer du regard. Il n'avait pas compris un traître mot de ce qu'elle avait dit. Mais, à son premier Thanksgiving, il connaissait parfaitement toutes les règles du football américain et avait déjà son équipe favorite quand arriva le Super Bowl.

PiDi n'était pas aussi athlétique que sa camarade de chambre. L'Amérique était nouvelle pour elle aussi, et elle se joignait à Aman Erum pour aller au bureau de poste où ils faisaient d'interminables queues pour envoyer chez eux quelques lignes gribouillées sur une carte postale. PiDi n'avait pas autant de mal que lui à expliquer aux préposés où se trouvait son pays, mais elle l'attendait patiemment pendant qu'il léchait et collait ses deux rangées de timbres sur les lettres destinées à Samarra. « Premier entré, dernier sorti », disait-elle à propos de leurs périples au bureau de poste.

Adriana et PiDi ne maternaient pas Aman Erum mais laissaient sa vaisselle sale devant sa porte quand il oubliait de la laver dans l'évier. Elles lui apprirent à tricher avec les machines à laver et à neutraliser les détecteurs de fumée pour éviter le déclenchement d'alarmes intempestives. Il leur parla de Samarra et PiDi compatit avec lui quant à la solitude inhérente à l'éloignement. Si Aman Erum ne pouvait pas quitter son travail au bureau des inscriptions, PiDi allait faire la queue et poster ses lettres d'amour pour Samarra en même temps que son propre courrier.

Telles étaient ses amies à Montclair.

Il n'avait pas fait tout ce chemin pour rester proche des Pakistanais et voyait d'un mauvais œil l'intérêt qu'ils lui manifestaient en permanence. Qui pouvait savoir combien d'entre eux avaient bénéficié d'une année supplémentaire sur leur visa, en plus des quatre de base, comme bonus accordé par de mystérieuses Américaines ?

Aman Erum n'avait pas d'amis de ses étés à Chitral ; il n'avait pas de relations en dehors de Mir Ali, contrairement à Hayat. Parmi les Pakistanais de Montclair qui l'approchaient, il ne savait pas quels étaient ceux qui le faisaient par pure gentillesse et ceux qui avaient des arrière-pensées. Il supposait que tous avaient leurs raisons, quelles qu'elles fussent.

Il prenait parfois ses repas à la cafétéria avec les étudiants originaires du Bangladesh, dont il ne comprenait pas la langue, mais qui hochaient la tête d'un air entendu quand il se laissait aller à parler de Mir Ali. Ils l'invitaient à se joindre à eux pour les repas et parlaient anglais à son intention, se plaignant tous de ce que le poisson était sec, que les fruits n'étaient pas sucrés, qu'ils avaient tous un goût de banane dans ce drôle de pays. Aman Erum se sentait bien parmi eux.

Il savait que, chez les Pakistanais, on allait dire qu'il détestait ses compatriotes, qu'il préférait dîner avec des « Bingos » et des Indiens plutôt qu'avec les siens. Ils se disaient entre eux que leurs parents avaient raison. Qu'il y avait quelque chose de bizarre chez ceux du Nord, qu'ils étaient incapables de s'intégrer, mais Aman Erum n'en avait cure.

Il n'avait jamais rencontré personne qui comprenne ce que ses frères et lui avaient connu, ce dont tous leurs amis parlaient à voix basse lors des mariages et des dîners qui se prolongeaient tard dans les salons – qu'une injustice entraînait la disparition de tout un peuple.

Que les hommes en kaki venus de la province centrale s'annexaient le pays comme s'ils en étaient les seuls maîtres. Ils prenaient l'eau, la nourriture, l'électricité, les ressources financières ; ils occupaient tous les postes clés – les rares postes clés – dans l'armée comme dans la fonction publique, de sorte que leur domination disproportionnée ne puisse jamais être remise en question, ni maintenant ni dans les soixante années à venir.

Aucune personne extérieure à Mir Ali ne l'avait compris. Les gens semblaient tout bonnement l'ignorer.

Certains, tout de même, comprenaient. Les Baloutches comprenaient, c'est ce qu'avait dit son père Inayat. Les Népalais aussi, mais Aman Erum n'en avait jamais rencontré. À l'université de Montclair, il n'y avait pas de Baloutche et une seule Népalaise. Elle portait ses cheveux en queue de cheval, haut sur la tête, et on racontait qu'elle avait passé toute son enfance en Inde.

Avant qu'on ne lui explique le fonctionnement des cartes de téléphone, achetées bon marché dans les petites boutiques de quartier ouvertes toute la nuit et dans les kiosques couverts de neige, devant les gares du New Jersey, Aman Erum dépensait l'essentiel de l'argent qui lui restait après la nourriture et les factures en appels téléphoniques chez lui, à un dollar cinquante la minute. Les téléphones portables étaient trop coûteux. Adriana réfléchissait avant d'appeler un parent en Californie en interurbain. Aman Erum ne pouvait pas imaginer la distance qui le séparait de Mir Ali sur une ligne des réseaux téléphoniques Sprint ou Verizon.

Au petit matin et au crépuscule, il ramassait toute la monnaie qu'il avait dans sa poche – des pièces de cinq cents, de dix, ce qu'il trouvait parmi les peluches de sa polaire et les notes soigneusement pliées qu'il conservait en guise de témoignages de sa frugalité quasi monastique – et il déversait cette pleine poignée de cuivre et d'argent dans la fente d'un téléphone payant dont le combiné était toujours chaud, et composait le numéro de Mir Ali.

Aman Erum parlait à sa famille toutes les deux ou trois semaines, à qui décrochait le téléphone, donnant de ses nouvelles. Trois minutes, quatre au maximum. C'était tout ce qu'il pouvait se permettre.

Mais il appelait toujours Samarra une fois par semaine, ou tous les dix jours si la semaine avait été trop courte et qu'il n'avait pas assez de pièces de monnaie dans sa poche. Il avait besoin d'entendre sa voix. Et qu'elle entende la sienne. Et si elle l'oubliait ? Aman Erum était toujours ce garçon de onze ans, attendant à côté de la porte grillagée le bruit de ses pas sur le gravier devant sa maison. Il lui envoyait des lettres pleines d'anecdotes sur sa vie en Amérique, des cartes d'abonnement de bus colorées, des menus de restauration à emporter, des publicités d'Amtrak. Il voulait qu'elle puisse voir quelque chose d'autre, de différent de Mir Ali. Mais elle n'en demandait jamais plus, se contentait de jeter ces souvenirs dans une boîte puis les oubliait. Lorsque Samarra lui répondait, elle écrivait en pachtoune, jamais en anglais comme lui avait commencé à le faire. Il lui téléphonait donc pour pallier son absence. Pendant qu'elle parlait, il fermait les yeux et essayait de se rappeler son rire. Il ne cessait de répéter son nom, pour qu'elle n'oublie jamais que celui-ci était indissociablement lié au son de sa voix. Pour que chaque fois que quelqu'un le prononcerait, elle n'entende qu'Aman Erum. Il lui racontait tout de sa vie dans le New Jersey : ses professeurs, ses nouveaux vêtements, ses camarades d'étage, les groupes d'études, Adriana et PiDi, tout ce qu'elles faisaient pour qu'il arrive à s'intégrer et se sente chez lui ; il lui parlait de ses rêves et de ses projets professionnels.

Aman Erum passa son premier Aïd au Masjid Al-Wadud de Montclair. Il n'y avait pas *d'imam bargah* à proximité, ce qui ne posait pas franchement de problème religieux à Aman Erum, lequel n'était préoccupé que par son avenir dans les affaires. Que manquait-il encore aux villes de banlieue américaines ? Où les fidèles allaient-ils acheter leur calotte de prière ? Comment importaient-ils des tapis de prière ? Dans la résidence d'Aman Erum, les musulmans priaient sur des tapis de bain et portaient des *taqiyeh* tout simples, sans broderie. Ils avaient trop peur de demander ce genre de chose dorénavant. « Tu vois, disait-il à Samarra au téléphone, je comprends ce que c'est que le dénuement. Je comprends ce que peuvent ressentir les nécessiteux. »

Mais ses conversations avec sa famille tournaient essentiellement autour de ses études et de l'argent qu'il arrivait à économiser, et après quelques minutes de nouvelles sur ce que sa famille avait enduré pendant sa lointaine absence, il raccrochait, avec un sentiment de soulagement.

De temps à autre, il se rappelait son *gentleman's agreement* et il posait des questions plus spécifiques sur la situation à Mir Ali, à ses frères – jamais à son père qui ne parlait à son aîné que lorsqu'il lui arrivait de répondre au téléphone, ce qu'il faisait de moins en moins à mesure que la maladie s'installait et qu'il se confinait dans son lit. Que s'était-il passé le jeudi précédent au marché des bidonvilles de Shirazi ? Deux négociants n'en sont-ils pas venus aux mains au motif que l'un d'eux profitait d'itinéraires de transport plus favorables – y avait-il eu du favoritisme là-dedans ?

Mais il savait que les vraies nouvelles ne lui seraient jamais transmises, comme ça, par téléphone. Tout le monde avait des oreilles à Mir Ali. Au début, il posait des questions rien que pour qu'on sache, en haut lieu, qu'il s'était renseigné.

Aman Erum posait des questions pour avoir quelque chose à rapporter – il lui fallait des informations sur lesquelles fonder la poursuite de ses études. Il chercha désespérément à découvrir quelque chose. Il voulait se tenir aussi éloigné de Mir Ali que ses études de commerce le lui permettaient.

Mais, les mois passant, il se mit peut-être à en faire un peu trop. De temps à autre, Aman Erum transmettait quelque chose de significatif. Les éloges et les remerciements se faisant plus insistants, les mois devenant plus froids, plus sombres, et la distance se creusant, il cessa de garder pour lui des informations qu'il aurait pu juger sensibles auparavant – des brins d'histoires qui, tissés ensemble, compromettaient le coupable mais aussi l'innocent qui le protégeait.

Aman Erum devint très imprudent. Il était trop loin de Mir Ali pour réaliser qu'à dévoiler ainsi des secrets les gens qu'il mettait en cause en ne tenant pas sa langue seraient automatiquement condamnés. Plus tard, quand il finirait par revenir à Mir Ali, il semblerait ne plus y attacher d'importance. Mais on en n'était pas encore là.

Aman Erum prit l'initiative d'envoyer des rapports sans même attendre que le colonel Tarik l'appelle. Il le devança, comme il l'avait fait à Islamabad pour conclure l'accord.

S'il apprenait, par Zainab ou Sikandar, qu'un fils avait quitté son domicile un lundi et que le mercredi ses parents anxieux avaient emballé tout ce qu'ils possédaient, mettant les vieilles télévisions dans des cartons, les couteaux dans des couvertures, nouant serrés les ballots afin que la vaisselle ne se brise pas en s'entrechoquant, il en tirait une conclusion et téléphonait aussitôt au bureau du colonel.

« Attaque programmée », murmurait-il dans le combiné noir. « Ça a l'air imminent, la famille a fui. » « Shahzar va bientôt frapper. » Il s'exprimait en formules télégraphiques théâtrales, cherchant à impressionner le colonel par la gravité de l'information qu'il livrait. Dans la pièce commune, Aman Erum regardait des feuilletons policiers à la télévision américaine où l'esprit de camaraderie des fonctionnaires n'était jamais mis à mal par la peur des informateurs ou d'une désinformation quelconque, où les hommes formaient une collectivité solidaire, se protégeant les uns les autres de toutes formes de périls et surveillant du coin de l'œil les états d'âme d'un chef toujours bougon mais indéniablement bien intentionné.

Ces feuilletons l'avaient rendu moins craintif, plus confiant, plus à l'aise dans son rôle.

Il rendait un service, un service à distance qui n'exigeait de lui que de contribuer à maintenir la paix.

Aman Erum avait vu son père s'enrouer à force de crier quand il évoquait le prix de la vie humaine à Mir Ali. « Comme il est difficile de ne pas mourir ici », disait-il d'une voix rauque, empruntant cette phrase aux poètes du passé. Il avait vu Hayat pleurer aux obsèques de ses amis, des amis de l'âge de son frère aîné morts au cours d'insurrections contre les militaires. Ce n'était pas qu'Aman Erum ne comprenait pas cette guerre. Il la comprenait. Mais il croyait aussi comprendre comment fonctionnait le pouvoir et il n'avait aucune envie de s'allier à son père et à Hayat dans un combat perdu d'avance.

Il composa le 01192 dans la soirée, collant le combiné contre sa bouche pendant qu'Adriana, qui revenait de cours épuisée, lui lançait des cahiers à travers le couloir. Le colonel Tarik avait d'abord paru surpris d'entendre sa nouvelle recrue au téléphone. Aman Erum pensa que son initiative l'avait pris de court.

— Vous autres, les gars de Mir Ali, n'êtes pas toujours aussi coopératifs, avait dit le colonel la première fois qu'Aman Erum avait pris les devants. Bienvenue, bienvenue à bord.

Il ne s'y attendait pas, mais l'accueil du colonel lui fit chaud au cœur. Il savoura le compliment qui perçait dans sa voix, malgré la distance, et sentit s'évanouir l'angoisse née de l'accord qu'ils avaient passé. Il était suffisamment loin de Mir Ali pour pouvoir l'aider sans faire de tort à qui que ce soit. Que pouvait-il bien apprendre de plus que la glorieuse armée pakistanaise ? À quelle information confidentielle pouvait-il accéder que les généraux, les majors et les élèves officiers de l'entourage de Tarik ne connaissaient pas déjà ?

Aman Erum retourna ces pensées dans sa tête quelque temps. Puis, elles avaient semblé moins pressantes, plus évidentes après les premiers appels téléphoniques. Le colonel et cette mystérieuse Américaine, qui avait organisé leur rencontre, lui avaient juste demandé de leur transmettre ce qu'il pourrait apprendre. S'il apprenait une chose, c'est que ce n'était pas vraiment secret. Si Samarra avait appris une chose, c'est qu'on ne la lui avait pas vraiment cachée. Aman Erum ne se posa jamais la question de savoir si Samarra était bien protégée, pas une seule fois.

Il se contentait de leur confirmer ce qu'ils savaient déjà.

Au début, il appelait le colonel pour que son visa ne soit pas annulé, pour qu'ils sachent qu'il prenait leur accord au sérieux et appréciait cette chance d'étudier à l'étranger. Aman Erum, l'aîné et le plus responsable de la fratrie, appelait pour qu'ils ne puissent pas l'accuser de manquer à sa promesse. Puis il appela pour transmettre des informations, pour parler en code, pour être sûr que le colonel appréciait d'avoir de ses nouvelles.

— *Grana*, avec tout ce travail, comment arrives-tu à te concentrer sur tes études ?

Aman Erum avait été content d'entendre cela, quoique mal à l'aise. Debout dans le couloir qui sentait la sueur et les chaussettes de sport, l'estomac tout à coup retourné, il resta silencieux, le téléphone à la main.

Mais le colonel coupa le haut-parleur du téléphone et demanda à Aman Erum quel temps il faisait et s'il avait réussi à avoir un radiateur individuel dans sa chambre – l'administration ne l'autorisait pas toujours, même s'il arrivait que le chauffage central soit insuffisant.

Et Aman Erum se rappela qu'ils partageaient une certaine intimité.

Le colonel lui avait fichu la paix ; il lui avait accordé cette liberté en raison de la spontanéité de ses appels. S'il n'avait pas fait la preuve de sa fiabilité, il l'aurait eu en permanence sur le dos.

Aman Erum avait entendu des histoires analogues au cours de son enfance à Mir Ali, de collaborateurs à qui l'on avait octroyé des jobs dans la capitale fédérale et qui étaient tellement bien installés dans leur nouvelle vie qu'il fallait leur rappeler qui ils étaient et d'où ils venaient.

Il y avait aussi ces jeunes gens à qui l'on avait accordé des bourses, entrés dans l'équipe nationale de hockey grâce à des relations, et qui, avec le temps, oubliaient qu'il s'agissait de faveurs et ne tardaient pas à se faire virer. Mais non sans s'être d'abord déshonorés.

Ainsi l'homme de la capitale avait dû revenir chez lui, à Mir Ali. Et pas dans sa voiture coréenne, laquelle avait été confisquée par l'entreprise. Il était revenu en bus, regardant en permanence derrière lui et portant les vêtements qu'il avait sur le dos quand il était parti. Comme le voisinage bruissait de ragots, il restait chez lui, avait même fini par ne plus en sortir, ne plus participer à la prière du vendredi, ni aux mariages locaux. On ne le vit plus se rendre à la boutique de fruits séchés pour y choisir des abricots ou discuter avec le vieux marchand. Il ne se maria pas, comme sa mère lui demandait instamment de le faire dès que son emploi du temps chargé le lui aurait permis. Un jour, on le retrouva pendu à son ventilateur de plafond.

Mais cela n'arriverait jamais à Aman Erum.

Ce n'était pas vraiment un informateur. Une nécessité moderne, voilà ce qu'il était. Un produit de son temps. C'était un passeur d'informations. Il ne savait pas ce qu'elles valaient, mais il les livrait comme un bon soldat et cela, le colonel le respectait.

— *Der kha, grana*. Bon boulot. C'est un plaisir de t'entendre. Notre meilleur souvenir à ta famille. *Akphal khial sata*, prends bien de toi.

La communication s'interrompit et l'officier retourna à ses dossiers, à la presse et à des renseignements plus importants. Aman Erum reposa le combiné du téléphone public mural. Par habitude, il s'assura qu'il l'avait bien raccroché, comme s'il était encore à Mir Ali – comme si ces superstitions opéraient –, puis décrocha à nouveau, remit des pièces et composa le numéro qui suivait toujours celui du colonel, le numéro qui évacuait le précédent appel.

— *Salam ?*

Elle venait juste de se réveiller, sa voix était encore tout ensommeillée.

12

— Je suis désolé, dit Hayat.

Il fait un pas en arrière, il sent la terre s'ébouler sous ses pieds.

— Je ne voulais pas te... Je n'étais pas... Je ne suis pas...

Les mots se perdent sur ses lèvres.

Samarra n'a pas baissé les yeux. Elle demeure parfaitement immobile, si ce n'est un mouvement imperceptible des épaules qui retombent légèrement alors qu'elle laisse échapper un souffle, puis se redressent quand elle se remet à parler.

— Je suis nerveuse, c'est tout.

Il comprend. Il y a maintenant deux ans qu'ils sont ensemble. Ce n'est pas la première fois que Hayat voit Samarra le matin d'actions d'envergure et les soirs qui suivent. Ces moments-là, ils les affrontent ensemble. Ne pas savoir rend la plupart des gens nerveux ou irritables mais Samarra n'est pas troublée, pas en temps normal. C'est le fait de savoir, c'est la suite, qui l'ébranle. Il y a eu des succès et aussi des arrestations auxquels elle a réagi de la même manière, sans faire de différence, après quoi, se retirant dans une planque minuscule, elle disparaissait pendant un temps. Hayat ne lui demandait jamais où elle allait, ni ce qu'elle avait fait ; il se contentait d'attendre son retour. Elle ne parlait jamais de ces retraites solitaires non plus. Ils avaient appris à se connaître et s'adaptaient au code de chacun, à leur langage, à leurs limites.

— Ça va faire mal, aujourd'hui.

Elle parle de manière elliptique. Ces jours-là, elle ne prononce que des phrases anodines, veillant à ne rien révéler des heures qui vont suivre. Il suffit d'être attentif à la syntaxe de Samarra pour suivre les opérations de Mir Ali. Elle donne un coup de pied dans la poussière, étirant la jambe du même coup, et regarde Hayat.

— C'est ce que nous avons entrepris de plus ambitieux à ce jour.

Il approuve de la tête. Ces jours-là, il est aussi elliptique qu'elle.

Il y a quelque chose de fragile en elle, ce matin, quelque chose que Hayat ne lui a jamais vu auparavant. Du coup, elle paraît instable, imprévisible.

— Sais-tu ce que tout ça signifie ?

Samarra se parle à elle-même à présent, plus nerveuse que jamais, les mots se télescopant dans sa bouche. Elle accélère encore le débit.

— Ça va tout changer. Cette attaque-là va dépasser toutes les autres. Ils vont être obligés de tout repenser. Leur sécurité, leurs indicateurs, leur stratégie, tout sera à revoir.

Elle n'a pas le trac. Elle est surexcitée.

— Samarra, commence Hayat, lentement, pesant ses mots pour opposer une certaine sérénité à sa voix dont il sent qu'elle est en train de monter.

Il n'aura pas d'autre occasion ; il a déjà chamboulé le protocole auquel Samarra est très attachée.

— Tu es vraiment prête ?

Elle sourit. Hayat la regarde. Elle avait un sourire différent, moins marqué, la première fois qu'il l'a rencontrée.

Mir Ali a toujours été indissociable du destin de Hayat. Il l'a toujours su. Jeune homme engagé dans la lutte pour son pays, il était porté par l'optimisme inaltérable des révolutionnaires. C'était un combat pour la justice. Un combat revendiqué par des multitudes, pour lequel des générations entières avaient été sacrifiées, mais qui devait les conduire à la lumière. Et à la victoire ; c'est ce en quoi le jeune Hayat croyait ardemment. Parce que c'était une nécessité. Parce que Mir Ali serait bientôt libre. Elle reprendrait son destin en main.

Mais Mir Ali n'était jamais parvenue à vaincre ses ennemis. Les chefs de la guérilla l'avaient brisée, étaient devenus des fanatiques. Hayat avait du mal à reconnaître Mir Ali dans leurs yeux. Il ne voit désormais plus rien dans ceux de Samarra. Samarra aux yeux verts et au grain de beauté emprisonné dans l'iris.

De tous les frères, c'était Hayat qui avait montré le plus vif intérêt aux histoires de leur père. Il s'installait auprès de lui quand il travaillait, ou l'écoutait raconter les légendes qu'Inayat et ses amis échangeaient autour d'un thé infusé dans un vieux samovar et relevé d'épices, de graines de pavot et de cardamome, dans la tradition afghane.

Inayat racontait des fables à Hayat tout en marchant le soir, quand ils rentraient dîner à la maison. Hayat allait toujours directement à la boutique de tapis de son père après l'école, puis, plus tard, après les revers de fortune de la famille, à son atelier.

Légèrement penché sur Hayat, son coude formant un triangle sur son épaule, le père parlait à son fils sous forme de paraboles.

Il lui raconta notamment l'histoire d'un roi si généreux qu'il nourrissait de céréales les poissons des rivières de son royaume et déposait des pièces d'argent dans les mains des mendiants. Ce roi finit par être écarté de son royaume. Il erra dans la forêt, se résignant à mener la vie d'un fakir jusqu'au jour où il se retrouva aux portes d'un autre royaume. Allant voir le monarque, dont l'avarice et la cruauté étaient bien connues de ses sujets, le fakir, jadis lui-même roi, lui demanda son aide, un repas et un endroit où reposer ses pieds endoloris.

Ce roi cupide accepta, promettant de nourrir et d'héberger le vagabond durant plusieurs mois dans le confort, après quoi un service lui serait demandé. « Je m'en remets à vous », dit le fakir, on ne peut plus reconnaissant. Quelques mois plus tard, six, sept peut-être, le monarque vint chercher le fakir, bien nourri et reposé de ses pérégrinations, et l'emmena pour le faire coudre dans la peau d'un bœuf sacrifié. Le roi, à qui le fakir demanda pourquoi il devait ainsi se cacher dans le cuir de la panse du bovin, rappela sa générosité au fakir ainsi que l'accord qu'ils avaient conclu.

Le fakir se soumit donc et, une fois la peau de bœuf recousue, fut emporté par une énorme créature aux grandes serres et aux plumes raides jusqu'au sommet d'une montagne. « Vous redescendrez quand je vous le dirai, brailla d'en bas le roi, et quand vous m'aurez jeté tous les diamants qui sont enfouis dans la montagne. »

Le fakir s'exécuta. Il envoya les pierres brutes à l'insatiable roi, s'abîmant les doigts, tournant autour de l'étendue montagneuse jusqu'à en avoir les pieds en sang. Après qu'il eut vidé le sol de ses diamants, il demanda au roi s'il pouvait revenir. Tandis qu'il implorait qu'on lui explique comment redescendre, le roi posa encore une question au fakir : « Vois-tu des ossements, au sommet de la montagne, mis au jour par les pierres précieuses ? »

Le fakir baissa les yeux et vit que le sol était jonché de squelettes humains. « Il y en a plein, hurla-t-il en retour. Je les vois. » Mais le roi cupide était déjà parti, emportant ses diamants.

Inayat s'arrêtait toujours là, à cet endroit, et ôtait son bras de l'épaule son fils, qui était de plus en plus grand, utilisant son épaule comme une béquille peu confortable, et le regardait :

— Tu vois, Hayat *jan*, disait-il, tu vois, Hayat, ma vie, ce qu'ils nous ont fait ? Mon âme, ma vie.

Inayat arrêtait là son histoire, il ne finissait pas la légende selon laquelle le fakir se jetait de la montagne dans la rivière qui passait en dessous, où il était sauvé par les poissons qui s'étaient engraissés grâce à ses aumônes de céréales. Inayat ne finissait pas cette légende avec son message de revanche.

Car le fakir revenait vers l'insatiable roi très surpris de le voir vivant, et lui disait qu'il lui montrerait comment redescendre de la montagne s'il se cousait dans une peau de bœuf et se plaçait, comme il l'avait fait pour tant d'autres, au sommet de la montagne. Le roi acceptait. Il ne pouvait résister – les diamants seraient immédiatement à sa portée. Une fois au sommet, le roi se mettait à danser au milieu des diamants et en ramassait autant qu'il le pouvait. Le fakir, pendant ce temps, en profitait pour s'esquiver contrairement à leur accord.

« Où allez-vous ? hurlait le roi au vagabond en le voyant partir. Vous deviez me montrer le chemin du retour. »

« Il n'y a rien que vous aimiez plus que ces diamants, répliquait le fakir, restez donc vivre parmi eux, maintenant. » Et il redescendait de la montagne pour rentrer au royaume où il héritait du trône de ce roi insatiable.

Cette partie du récit, Inayat l'omettait.

Tous les enfants connaissaient cette histoire ; c'était une légende pachtoune très populaire transmise pour rappeler à la jeunesse les conséquences de l'envie et de la cupidité. Mais Inayat n'en racontait jamais la fin. Il s'arrêtait dans la rue, la poussière tourbillonnant autour de ses pieds chaussés de sandales dans la brise du soir, et s'adressait à son fils :

— Tu vois, tu vois ce qu'ils nous ont pris ?

Inayat présentait la morale de l'histoire à celui de ses fils qui connaissait le mieux la valeur des sommets de Mir Ali.

Quand Inayat lui-même se sentit proche de la mort, il insista auprès de Zainab sur la valeur de la maison qu'ils avaient construite ensemble et traça dans l'air des chiffres et des nombres afin qu'après toute une vie partagée elle sache ce qu'il lui laissait, à elle et aussi à ses fils. Quand la nuit tomba sur Mir Ali, une constellation d'étoiles éclairant à peine le ciel, si peu visibles qu'on aurait dit qu'elles brillaient au-dessus d'une autre ville, ne jetant qu'une faible lueur sur Mir Ali, comme par pitié, Inayat dit au revoir à Aman Erum et, s'efforçant de ne rien laisser voir de sa déception, lui souhaita beaucoup de succès dans ses entreprises. Il ajouta qu'il était persuadé que son fils réussirait dans les affaires. Pour Sikandar et Mina, il n'eut pas d'ultimes paroles de réconfort à offrir. Il y avait déjà longtemps qu'il n'avait rien à leur dire. Leur chagrin le rendait muet et il ne voulait surtout pas les attrister encore plus par sa disparition. Inayat vit Hayat en dernier. Il avait gardé son fils cadet pour la fin, pour que ses lèvres se ferment sur les mots qu'il allait lui glisser à l'oreille.

— Viens sur ma tombe pour me dire que Mir Ali est libérée. Je veux te l'entendre murmurer, même quand je ne serai plus là.

10 h 27

13

Les réfugiés de la guerre des drones dans les villes et les villages du Waziristan voisin échappaient aux combats menés chez eux en allant vivre comme des fantômes dans les faubourgs de Mir Ali. Ils étaient facilement recrutés par les rebelles installés dans les forêts et les montagnes alentour pour venir grossir leurs rangs dans la guérilla qu'eux-mêmes menaient contre le pouvoir central. C'était même les plus faciles à recruter ; ils n'avaient plus rien à perdre.

Les rebelles, comme les appelaient les journalistes et les étrangers, combattaient les excès d'une nation corrompue et impie. La violence ne les effrayait pas. Ils décapitaient les soldats, kidnappaient les généraux de brigade. « Nous sommes là, disaient-ils, assez proches pour que vous sentiez notre souffle dans votre cou. »

Mais ils n'étaient pas les bienvenus et ne furent pas bien reçus, au début tout au moins, par la population locale. Les rebelles s'attendaient à être accueillis en héros, ils se considéraient comme des héros. Et pourquoi pas, quand on voyait les batailles qu'ils avaient livrées contre l'État ? Cet État haï, qui les consumait tous. Mais ils n'étaient pas des héros.

Ils allaient chercher l'argent là où il se trouvait. Ils confisquaient l'alcool de contrebande, condamnant à mort les sikhs et les minorités chrétiennes qui vivaient de ce commerce, revendant les bidons rouillés et les bouteilles de verre pour multiplier le nombre de leurs armes. Ils recevaient de l'argent des mosquées qui collectaient des fonds auprès des fidèles et accueillaient des étrangers en provenance des pays qui, étant sous la bannière de l'islam, se sentaient tenus de les soutenir à hauteur de millions.

Pour ce qui était de la violence et de la corruption, ils n'étaient guère différents de leurs ennemis. Ils entendaient ce que les gens des villes disaient à leur sujet – qu'ils payaient des hommes pour faire exploser des cartouches de dynamite attachées à contrecœur sur leurs poitrines en échange de quarante mille, trente mille, vingt mille, voire même dix mille roupies en espèces.

Ce n'était pas tout à fait vrai. Les rebelles ne remettaient pas au candidat à la mort une serviette de billets – de l'argent qu'il ne pourrait jamais dépenser s'il acceptait la mission. Mais le fait est qu'ils prenaient sa famille et ses enfants en charge pendant une période compensatoire jugée appropriée.

Une chose distinguait les rebelles des hommes qu'ils combattaient : leur foi. C'étaient de vrais croyants. Ils étaient imprégnés du message des justes, portés par leurs convictions religieuses. Ils étaient l'armée du sunnisme. Ils vivaient et luttaient conformément aux paroles du Prophète et aux enseignements de Dieu. Ce Dieu était plus puissant que la cinquième armée du monde. Un pays de cent quatre-vingts millions d'habitants ne faisait pas le poids devant leur Dieu. Ils se considéraient comme les soldats d'une guerre sainte qui défendaient un livre qu'ils n'avaient jamais appris à lire dans une langue qu'ils ne parlaient pas.

Il n'y avait rien d'impie chez ces gens qui vivaient en marge de Mir Ali.

Quelqu'un a tiré. La détonation résonne, implacable, aux oreilles de Sikandar. Il écrase la pédale de frein de la fourgonnette. Il ne saurait dire si ce coup de feu a été tiré contre leur véhicule, contre eux – contre lui ou Mina – ou en l'air, comme un coup de semonce. Sikandar se palpe la poitrine, examine ses jambes. Il entend le crissement du gravier sous les roues de la fourgonnette.

Il va bien. Il n'est pas blessé. Mina a l'air très en colère. Il examine ses jambes, ses bras jusqu'à avoir la certitude qu'elle est indemne.

Sikandar est soulagé : ils n'étaient pas visés. C'était une erreur. Sans doute une balle perdue. Il pose la main sur la porte quand Mina lui saisit le poignet.

— Non, murmure-t-elle, sur le point de laisser s'échapper la colère qu'elle veille à bien garder en elle.

Sikandar détourne son visage de la portière et regarde Mina.

— Il faut que je vérifie que la fourgonnette n'a rien.

Il tente de la rassurer :

— Je reste avec toi.

Juste au moment où il a la main sur la poignée de la portière, prêt à l'ouvrir, Sikandar entend un sifflement. Il se tourne, le temps de voir sa vitre exploser en mille morceaux et de recevoir un grand coup de crosse de fusil d'assaut dans la mâchoire.

Mina hurle, Sikandar l'entend – cela ressemble à un cri de désespoir, une lamentation. Pendant un instant, il ne voit plus rien. Il sent comme un bourdonnement derrière son œil gauche qui lui vient de quelque part dans son corps ; de ses oreilles, peut-être, ou bien du fin fond de son cerveau terrifié.

Son cœur bat la chamade puis ralentit lorsqu'il ouvre les yeux, luttant pour essayer de comprendre ce qui vient de lui arriver. Il a une sensation de froid dans les jambes. Sikandar passe sa langue à l'intérieur de ses joues et sur ses gencives ; sa bouche a le goût métallique du sang. Il essaie de tourner la tête pour faire face à ses attaquants, mais son cou lui fait mal. Une douleur vive, lancinante le traverse au moindre mouvement.

Il voit trois hommes, grands, minces, proches de la trentaine, portant des *shalwar kameez* usés au col et aux poignets. Ils ont le corps enveloppé de châles de laine maintenus en place par des kalachnikovs et autres fusils d'assaut portés à l'épaule, superposés comme plusieurs rangs de bijoux.

L'homme qui se tient près de la portière de Mina la met en joue tout en regardant ailleurs. Il est coiffé d'un turban bleu clair, attaché sur le côté, le reste de l'étoffe retombant sur son épaule.

Un deuxième homme s'est placé à l'avant du fourgon, tenant sa kalachnikov comme un bébé, la berçant entre ses bras, regardant la scène sous d'épais sourcils. Il observe ses deux camarades comme s'il ne leur faisait pas entièrement confiance, comme s'il devait les surveiller au même titre que ces inconnus à bord de la fourgonnette de livraison de l'hôpital public Hasan-Faraz.

L'homme du côté de Sikandar a un visage émacié, une barbe clairsemée et irrégulière et, bien qu'il ait le teint cireux indiquant la malnutrition, voire l'épuisement, ses yeux brillent dans la lumière du matin. Ses pommettes hautes sont un peu hâlées, ce qui donne de la couleur à son visage. Il a le nez qui pèle légèrement.

— Qu'est-ce que vous fichez par ici ? aboie-t-il, en enfonçant brutalement le canon de son arme dans l'épaule de Sikandar. Qui vous a autorisés à venir dans cette zone ?

Sikandar reste silencieux.

Il a entendu dire à l'hôpital que les rebelles cherchent des médecins. Un cancérologue a été réveillé tôt un matin par un bruit de voiture devant sa porte. En pyjama et pantoufles, il est allé l'ouvrir et a vu un homme grisonnant qui descendait d'un quatre-quatre plein de combattants. L'homme est entré, s'est assis dans le salon du médecin et lui a montré une pile de bulletins jaunes. « Tu devras faire le nécessaire pour soigner tout homme qui se présentera porteur de l'un de ces bulletins, lui ordonna-t-il. Ce sera le signe qu'il est des nôtres, tu as compris ? Nous considérerons comme une insulte que tu ne lui apportes pas aussitôt les soins médicaux dont il aura besoin ; ce ne sera pas toléré. » Le cancérologue fut prévenu que ses soins seraient gratuits, discrets et qu'il pourrait être amené à les dispenser à tout moment. Ils savaient où il travaillait, connaissaient les noms de sa secrétaire et de son assistant à l'hôpital. S'il ne s'exécutait pas, il serait considéré comme un collabo, au service de l'État et de son armée. Et tout le monde savait ce qui arrivait à Mir Ali aux collabos malchanceux.

— *Wia !* Parle !

Le rebelle au visage émacié hurle et, tenant sa kalachnikov à deux mains, il la lève et la redescend vers la tête de Sikandar. Celui-ci sent l'impact du canon dans son cou. Il n'est pas habitué à la violence. Même avec ses deux frères, Sikandar ne s'est jamais battu autrement que par jeu.

C'est la première fois qu'il s'aventure aussi loin dans la forêt ; il n'a aucune idée de ses chances de survie. Il ne veut pas mourir.

— *Sahib*, monsieur, commence Sikandar, parlant doucement, épaules baissées, les mains en évidence sur le volant pour que les trois hommes puissent voir qu'il n'est pas armé, je ne suis que le chauffeur.

Mina s'est arrêtée de respirer. Elle a les yeux fixés sur son mari.

L'homme posté du côté de Mina parle à son tour. Elle a baissé sa vitre suivant ses instructions, mais Sikandar n'arrive pas à se souvenir à quel moment. Il sent l'odeur des pins – que la pluie transporte avec elle.

— Qui est cette femme ?

L'homme ne la regarde toujours pas.

— Elle est médecin. Je travaille pour l'hôpital public.

Sikandar lui aussi baisse les yeux maintenant. Il a le cœur qui bat vite, trop vite pour un cœur bien portant. La panique le saisit, sous le double effet du sang qu'il a dans la bouche et de ce cœur qui bat le tambour dans sa poitrine. Il ne sait sur quoi se concentrer, ce qui est le plus inquiétant. Il se rappelle la carte de visite rouge et blanc d'Aman Erum avec son site web, ses adresses électroniques et ses nombreux numéros de portable. Sikandar a oublié de la transmettre à son collègue, le médecin d'Islamabad avec sa Corolla. Il l'a toujours dans son portefeuille.

— Vous êtes seuls tous les deux ?

— C'est l'Aïd, *sahib*, il n'y avait personne d'autre pour accompagner cette dame. J'étais le seul chauffeur de service.

Sikandar se penche vers la portière. Il ne peut pas regarder Mina. Il sent qu'elle s'est remise à respirer, que, sortant de sa confusion et de sa frayeur temporaires, elle a retrouvé son calme. Il n'a pas besoin de le voir, il le devine dans son dos.

Le rebelle au visage émacié, celui qui arbore l'air fatigué d'un homme qui assure le commandement, jauge la barbe poivre et sel de Sikandar, impeccablement taillée. Il lorgne son *shalwaz kameez* propre et fraîchement repassé, dont les genoux n'ont jamais été raccommodés, les poches de poitrine nettes et bien confectionnées avec un motif carré sur le cœur. Il regarde ses deux camarades. Tous trois partagent la même incrédulité. Ils ont bien vu l'expression du visage de Mina quand l'homme a parlé, l'attention qu'elle porte aux paroles qu'il prononce, le fait qu'elle a ouvert la bouche à plusieurs reprises pour finalement se retenir, ne pas souffler mot et laisser son chauffeur parler à sa place.

Mina tient son sac serré sur sa poitrine et regrette de ne pas avoir gardé son téléphone sur les genoux. Après une brève hésitation, elle se redresse, se tenant bien droite, puis s'adosse à son siège avant de se redresser à nouveau pour prendre une attitude empreinte d'un peu plus d'autorité. Elle s'adresse à l'homme planté de son côté, lentement, veillant à ce que son émotivité vis-à-vis de Sikandar ne vienne pas altérer ses paroles.

— *Ror*, mon frère, je suis médecin. On m'a appelée pour mettre un enfant au monde dans ce secteur, un enfant dont la vie est menacée avant même d'avoir commencé.

Elle examine l'homme à la kalachnikov, dont la peau est tannée par des années passées au grand air, et pose sa main sur la vitre qui les sépare.

— Je vous en prie, laissez-nous partir, implore-t-elle, s'efforçant de dissimuler l'angoisse dans sa voix.

Mais le ton est déjà trop insistant.

Le rebelle au turban bleu clair l'ignore. Il se refuse encore à croiser le regard de Mina. Il fait le tour de la fourgonnette pour rejoindre celui qui commande et lui parler à l'oreille.

14

Ils doivent attendre. Il n'y a pas de règles formelles ni de codes propres à des jours comme celui-là, mais tout le monde comprend qu'il vaut mieux s'installer dans l'attente. Il y a les retards inévitables – la circulation, l'avertissement d'un guetteur en cas de danger, la défaillance d'un mécanisme remettant en question l'efficacité de l'attaque aux explosifs. Il y a les erreurs humaines, qui se traduisent par du temps passé à compter les mouches ou à piétiner dans la poussière, et il y a le bon moment, tout simplement.

Nasir est revenu à la maison passer une heure avec sa famille pour ne pas lui mettre la puce à l'oreille.

Plus tard, ils se souviendront qu'il est parti tôt le matin, avant même de boire son thé au lait avec les siens. Ils se rappelleront que Nasir était revenu à la maison peu de temps après, qu'il s'était assis dans le salon et qu'il leur avait donné l'impression de ne pas vouloir attirer l'attention sur lui tout en se réfugiant auprès d'eux.

Les hommes ne rentrent pas souvent chez eux. Pas parce que leur famille les en dissuaderait – qu'un fils meure pour Mir Ali garantirait à sa famille des générations de traitement honorifique, et ce malgré le harcèlement et les soupçons continuels dont elle serait fatalement victime de la part des autorités. Ils ne rentrent pas chez eux car ils ne peuvent rien dire à leur famille ; ils ne peuvent pas courir le risque d'une indiscrétion. Le secret des opérations doit être impérativement gardé.

C'est pourquoi ils jouent aux cartes avec des amis dans un *chaikhana* et boivent des boissons bien fades en comparaison de ce qui les attend. Le lait de brebis perd son arrière-goût aigre, le thé sucré cuit dans une casserole a un goût de sirop prononcé, vaguement médicinal, et le thé vert ressemble à de l'eau très légèrement anisée.

Ils doivent patienter. Hayat savait que cette matinée leur paraîtrait interminable. Ce moment avec Samarra ne faciliterait ni l'attente ni ce qui se produirait après, quand l'attente aurait pris fin, mais c'était toujours un moment passé avec elle. Il en rend grâce, quoique non sans une certaine culpabilité.

Elle veut sortir du schéma habituel ; pouvoir enfin s'exprimer par des phrases complètes.

— Pourquoi m'as-tu demandé si j'étais prête ?

Elle enroule puis déroule ses cheveux en un chignon qu'elle retient avec un crayon.

— Tu ne me trouves pas suffisamment préparée ?

Assis dans la poussière, en face d'elle, Hayat observe la façon dont elle se passe la main dans les cheveux. Ils l'avaient démolie, ces brutes. Ils reniflaient les faibles et ne s'attaquaient qu'à ceux dont ils savaient pouvoir venir à bout de la résistance. Mais elle s'était battue. Au début, personne ne comprit comment ils l'avaient trouvée, comment ils avaient su qu'elle était la proie idéale.

Elle venait d'entrer à l'université et ne travaillait que depuis peu avec ces hommes, à transporter des papiers et déplacer du matériel radio. Elle n'avait parlé à personne de sa deuxième vie, de sa vie clandestine, de fille indépendante.

À personne, ou presque.

N'empêche qu'elle n'avait pas trahi qui que ce soit.

Lorsqu'ils la relâchèrent, elle ne parla pas de ce qu'ils lui avaient fait, ni de ceux qui avaient posé les mains sur elle.

Mais elle riposta. Elle riposta pour prouver son innocence, la sienne et celle de Ghazan Afridi. Elle se battait au nom de son père disparu. Samarra se souvenait de sa promesse pour les années à venir. Elle se battait pour croire que tout était encore possible. Elle se battait pour réaffirmer sa crédibilité auprès de ceux qui se demandaient s'il était sage de continuer à l'employer. Elle se battait pour effacer de sa vie l'homme qui portait des médailles sur sa poitrine et une alliance en or rose à son doigt.

Elle se battait avec une telle hargne qu'elle avait commencé à leur ressembler.

— Ça fait des années que j'attends ça. Si quelqu'un doit prendre la tête de cette opération, c'est moi. Tu le sais. Qu'est-ce que tu as voulu dire ? Les autres t'ont-ils dit qu'ils n'étaient pas tranquilles ?

— Non, ce n'est pas ça.

Hayat se rapproche légèrement d'elle, assez près pour pouvoir sentir le parfum du jasmin sur son poignet.

— Samarra, cette fois c'est plus gros que tout ce qu'on a fait jusqu'à présent. On a besoin de temps. On a besoin de temps pour réfléchir à ce qui va suivre ; on a besoin de temps pour protéger les nôtres, nos foyers ; et aussi pour anticiper la riposte.

Le sourire lui revient, son étrange sourire.

Aujourd'hui, juste avant que ne retentissent les appels du muezzin aux prières du vendredi pour les hommes de Mir Ali dispersés, une cérémonie doit avoir lieu. Elle a été fixée à ce jour, un vendredi qui coïncide avec les célébrations de la fin du Ramadan.

Le gouverneur de l'État frontalier a fait tout le chemin depuis son bungalow blanchi à la chaux de la capitale pour présider à l'incorporation de quatre cents des meilleurs éléments de Mir Ali dans l'armée nationale.

Il y avait des années qu'en sous-main on faisait obstruction à l'incorporation des hommes de cette région. C'étaient des séparatistes, donc peu fiables, jugés inaptes au service actif dans les trois armes – la marine, l'armée et l'aviation *a fortiori*. La plus distinguée des trois n'acceptait pratiquement jamais de candidats venant d'ailleurs que de la province centrale.

Cette obstruction était niée des politiques. Quiconque ambitionnant de servir son pays n'avait qu'à faire acte de candidature ; il suffisait ensuite de se soumettre aux tests. Mais, comme l'armée soupçonnait systématiquement les candidats originaires de Mir Ali ou des environs de vouloir s'infiltrer et non s'intégrer, elle trouvait toujours un moyen de leur barrer la porte.

Lorsque la rébellion faisait rage, l'exclusion était plus officielle. Ils n'étaient accueillis dans aucune institution d'État. Ni à la Banque nationale, ni au ministère des Affaires étrangères.

Plus récemment, pourtant, cette politique s'était assouplie. Le pouvoir central n'allait pas gagner une guerre sans fin contre des hommes qui n'avaient rien à perdre. Il ne réussirait jamais en condamnant ces hommes déjà marginalisés. Ils n'étaient nulle part chez eux. Ne possédaient rien. Mais si le pouvoir central arrivait à les attirer, à les mettre en contact avec ce qu'ils combattaient si âprement, s'il pouvait les coopter, l'État viendrait à bout de leur agitation. Quelques menus avantages leur furent d'abord accordés. On organisa des tirages au sort pour l'attribution de visas à l'intention de ceux qui voulaient aller étudier ou émigrer à l'étranger, mais il était tout à fait évident, trop clair, qu'avec l'aide de ses alliés étrangers le pouvoir central visait en réalité à rapatrier la jeunesse de Mir Ali. On faisait honte à ceux qui avaient fait la queue pour obtenir leurs papiers d'immigration en Grande-Bretagne ou des visas d'étudiants pour l'Amérique afin qu'ils se sentent obligés de déchirer leurs dossiers de candidature. Mais l'humiliation demeurait. Elle leur collait à la peau. Seuls ceux chez qui l'ambition était plus grande que le sentiment de honte, dont les aspirations personnelles étaient plus fortes que le combat collectif, passaient outre et partaient quand même. La plupart de ces hommes-là ne revenaient jamais. Ils coupaient leurs liens avec Mir Ali. Mais Aman Erum était parti la tête haute ; personne n'allait douter de ses sympathies. Il était le fils d'Inayat. Le frère de Hayat. Le promis de Samarra Afridi.

Ensuite, les autorités leur donnèrent accès à des postes de fonctionnaires subalternes dans les ministères de moindre importance, les plus corrompus, où aucun effort n'était consenti et où l'inertie était de règle – au ministère de la Santé, surtout. Quand la presse faisait du battage sur les budgets dérisoires alloués au ministère de la Santé et de l'Éducation, elle devait aussi traiter de la place généreusement accordée par les autorités à ces gens des tribus, à ces soi-disant guerriers. On les faisait venir dans les grandes villes pour gérer des dispensaires publics ou s'occuper de l'exportation de désinfectants ne pouvant pas être consommés comme alcool. Petits boulots insignifiants, indignes de médecins.

Mais ces mesures-là n'étaient pas suffisantes. Elles ne suffiraient pas à les calmer. Il fallait les amener dans l'antre de la bête.

Le projet pilote consistait à en incorporer quatre cents dans l'armée. On les enverrait servir aux quatre coins du pays. Ils deviendraient partie intégrante de l'appareil qu'ils croyaient exclusivement dirigé contre leur peuple. Avec le temps, ils découvriraient qu'il visait tout le monde. On les affecta à la surveillance des barrages routiers de Quetta. On leur fit prendre position sous les ponts de Karachi, pour arrêter au hasard les voitures qui allaient à l'aéroport ou se dirigeaient hors de la ville. On leur confia la garde des ministères à Peshawar.

Ils n'opprimaient personne en particulier. Ils opprimaient tout le monde.

Il y avait des semaines que le gouverneur de la région pavoisait au sujet de ce geste grandiose, une étape sur le chemin d'une plus grande intégration. Les recrues avaient été soigneusement cachées dans la base militaire où elles avaient suivi leur formation initiale.

Rien n'avait filtré de leurs noms, de la manière dont on les avait sélectionnées ou même de la façon dont elles avaient été approchées (personne en ville n'avait souvenir d'une campagne de recrutement). Après cinq semaines de classes, les quatre cents de Mir Ali allaient être officiellement incorporés dans les forces armées. Les *Khakis* s'assureraient qu'aucune de ces nouvelles recrues ne serait photographiée à son poste – aucun visage visible ne serait reconnaissable dans les clichés remis à la presse. Il n'y aurait aucune trace des instructeurs militaires ni le moindre aperçu des recrues fraîchement formées.

C'est sur le gouverneur que se focaliserait l'attention.

Le gouverneur tenait une sorte de conférence de presse hebdomadaire sur les déplacements qu'il avait programmés. « C'est une opération historique », déclara-t-il quand il annonça son intention de se rendre à Mir Ali.

Que le gouverneur inaugure une usine de pneumatiques ou qu'il rencontre les familles d'opposants incarcérés, il s'habillait d'un *sherwani* noir empesé, au col épais et raide. Dans la journée, il portait des sandales d'homme en cuir patiné et, le soir, des souliers en cuir vernis que son valet de pied faisait gravement reluire. Il avait les cheveux teints d'un noir de cirage à chaussures assorti aux poils qu'il avait sur les bras et qui s'étendaient jusque sur les mains et les jointures de ses doigts.

Il avait été nommé à ce poste par les politiques ; de sa vie il n'avait jamais remporté la moindre élection.

La seule chose qui allait éradiquer une fois pour toutes la rébellion de Mir Ali, avait-il affirmé aux médias la semaine précédente, c'étaient le développement et la réconciliation.

Était-il déjà venu à Mir Ali ? lui demandèrent les journalistes, rivalisant pour lui mettre un micro sous le nez.

Non, non, il n'était jamais venu. Mais il avait rencontré de nombreuses personnes qui y étaient allées et qui l'avaient assuré que ses habitants n'avaient d'autres aspirations que de s'inscrire dans l'avenir du Pakistan. « Ils ne veulent pas de violence, ils veulent la réconciliation. Ils sont prêts à se réconcilier avec nous. Nous devons leur tendre une main amicale. » Et, là-dessus, il joignit le geste à la parole, tendant sa main velue à la meute des journalistes, avec un grand sourire à l'adresse des cameramen rassemblés.

Il avait promis, bien que cela ne soit pas de sa compétence, qu'un millier de nouvelles recrues originaires de Mir Ali seraient incorporées d'ici l'année suivante. Et le double l'année d'après. « Si nous ne prenions pas ce processus de réconciliation très au sérieux, nous ne lancerions pas ce plan quinquennal, au bout duquel nous aurons intégré des milliers d'hommes natifs de Mir Ali dans l'armée nationale, peut-être même des femmes. » Les militaires n'en avaient en réalité nullement l'intention, aucune promesse au sujet d'un plan quinquennal n'ayant été faite, mais l'idée elle-même avait été accueillie par des applaudissements nourris.

Le gouverneur avait prévu de se rendre à Mir Ali pour passer l'Aïd avec « la famille qui lui tenait le plus à cœur – le peuple » et pour mettre en œuvre cette grande et nouvelle collaboration. Il était débordant d'optimisme. C'était un nouveau et courageux pas en avant, qui ferait date.

Samarra sourit. Hayat l'observe, elle a l'air calme tout d'un coup. Elle arrête de se tripoter les cheveux – désormais flottants et coiffés de la main tandis qu'elle joue avec son crayon, le faisant glisser entre ses doigts comme de l'eau courante. Hayat regarde ses lèvres. Il ne se rend pas compte qu'il retient son souffle. Samarra répond à Hayat avec un sourire dans la voix.

— Tu as raison, c'est ce qu'on aura fait de plus énorme. Inutile d'attendre plus longtemps. C'est pour aujourd'hui, Hayat. Nous sommes prêts.

Hayat croit la voir retenir un rire.

— Nous allons tuer le gouverneur.

15

— *Salam, zama khog.*

C'est par ces mots qu'Aman Erum commençait toujours ses appels téléphoniques, l'appelant « ma chérie ». Il aimait qu'elle soit réveillée par la sonnerie du téléphone mais qu'elle ne cherche pas à dissimuler sa voix ensommeillée.

— C'est toi.

Elle semblait chaque fois surprise.

— J'ai été en cours toute la journée – je n'ai pas pu t'appeler tard hier soir, mais je ne voulais pas te manquer avant que tu ne démarres la journée.

— *Sa masla na dey.* Pas de problème, répondit Samarra en bâillant.

Il l'entendit se lever et l'imagina en train de brosser ses longs cheveux. Pendant qu'elle se déplaçait bruyamment dans la pièce, le combiné coincé entre l'oreille et l'épaule, Aman Erum lui parla de ses professeurs, des gens qui voulaient qu'on les appelle par leurs prénoms et des nouveaux clubs auxquels il avait adhéré au début du semestre – il était très excité par l'International Business Society. Il envisageait même d'être candidat à l'élection de son bureau.

Elle accueillit ses propos par quelques petits bruits polis puis lui demanda :

— Quand est-ce que tu rentres ?

— Quand est-ce que je rentre ?

— Oui, au pays. Quand est-ce que tu vas rentrer au pays ?

— Mais je ne peux pas rentrer en cours de semestre ; tu le sais bien. Ça me coûte si cher, d'être ici. Tant que je n'ai pas trouvé autre chose à louer, mon loyer à lui seul vaut le prix d'un aller-retour.

— Non, ce que je veux dire, c'est quand est-ce que tu en auras fini, quand est-ce que tu auras le diplôme pour lequel tu as tout quitté ?

Elle voulait dire, la quitter elle. Samarra se souvenait du pick-up bleu clair et du jerrican d'essence entre les genoux d'Aman Erum l'été où il avait quitté Mir Ali. Les adultes abandonnaient Ghazan Afridi et Aman Erum la consolait tout en faisant ses bagages pour Chitral. « Des années, lui avait-il dit. Peut-être des années. » Quand Samarra s'était éloignée ce jour-là, quand elle était partie au beau milieu d'une conversation qu'elle aurait préféré qu'il n'eût pas commencé, Aman Erum ne l'avait pas suivie. Elle était restée une minute devant la porte de la maison de la rue Sher-Hakimullah, à l'attendre, lui laissant le temps de sauter du pick-up et de la rejoindre. Elle avait attendu qu'il vienne s'excuser. Qu'il incline la tête et dise que ça n'allait pas prendre des années. Pas des années. Qu'il n'avait pas voulu dire ça, pas du tout.

Puis elle avait entendu le moteur démarrer.

Aman Erum commençait à en avoir assez ; c'était toujours le même refrain. Elle n'arrêtait pas de lui demander quand il allait rentrer au pays. Elle ne lui demandait jamais quand il allait lui revenir ; c'était toujours de Mir Ali dont il était question.

— Samarra, *zama khog*, ça va prendre encore un peu de temps.

— Je sais que, là-bas, les diplômes de commerce prennent trois ans. Pourquoi est-ce plus long pour le tien ?

Aman Erum ne lui avait pas dit qu'en fait non, ce n'était pas plus long. Il aurait fini en trois ans, mais il avait prévu de se mettre à travailler aussitôt après, de louer un petit appartement et de se faire une nouvelle vie sur place. Il lui avait plus ou moins parlé de ses projets de s'installer ailleurs qu'à Mir Ali. Elle avait catégoriquement refusé l'idée de le suivre. Leurs conversations commençaient à devenir lassantes.

— Dis-moi, qu'est-ce que tu fais aujourd'hui ?

Elle resta silencieuse. Il lui accorda une coûteuse minute de bouderie.

— Qu'est-ce que tu as prévu de faire aujourd'hui ? répéta-t-il, comme si c'était la première fois qu'il le disait.

Le bruit de déplacement reprit. Elle posa le combiné pour pouvoir s'habiller puis le reprit au milieu d'une phrase

— ... aller chez la mère de Zain ul Abeddin. Elle est dans un tel état.

— Qu'est-il arrivé à Zain ul Abeddin ?

Aman Erum redressa son dos contre le mur. Il n'était pas au courant. C'était un ancien condisciple, un étudiant en art exubérant, pas très grand. Toujours couvert de taches de peinture et sentant la térébenthine.

À part Samarra, Aman Erum ne s'était pas vraiment fait d'amis à Mir Ali. Ceux qui lui serraient la main au passage à la bibliothèque ou qui s'arrêtaient pour bavarder un moment, autour d'une cigarette et d'un verre fumant de thé vert à la cardamome, étaient des amis de Samarra ; pas les siens. Il connaissait des gens, mais c'était à travers elle qu'il dialoguait avec le monde.

En vérité, il ne s'était jamais donné la peine de faire la connaissance de gens nouveaux, pas jusqu'à maintenant. Ici, en Amérique, il y avait de longues tables de visages pleins d'entrain par lesquels il se sentait attiré. Inspiré par PiDi, Aman Erum avait lui aussi commencé à utiliser ses initiales pour se présenter : A.E. Il n'avait jamais rencontré autant de gens qui lui ressemblaient.

Ici, ils ne pensaient qu'à évoluer. À Mir Ali, Aman Erum s'était senti très seul. Des gens comme lui, prêts à se libérer du carcan dans lequel ils vivaient, tournés vers l'avenir, étaient rares.

Les jeunes gens du cybercafé Shah Sawar eux-mêmes n'étaient pas comme lui. C'étaient des voyeurs, des voyeurs dépourvus d'ambition. Ils voulaient seulement goûter à ce qui se trouvait en dehors de Mir Ali, rien de plus. Ils pouvaient aller embêter Rustam pour qu'il remplisse un formulaire ou leur rédige un dossier de candidature, mais leur envie de partir n'était pas assez forte. Ils avaient toujours des obligations qui les retenaient. Mais ici, dans le New Jersey, Aman Erum rencontrait des immigrés dont les rêves étaient aussi grands que les siens.

— Non, rien, dit doucement Samarra. Il va bien.

— Pourtant, j'ai cru que tu disais qu'il lui était arrivé quelque chose ?

— Non, il est juste parti pour quelque temps.

— Mais qu'est-il arrivé pour qu'il soit obligé de voyager ?

Aman Erum avait mis trop d'empressement à poser cette question.

— Pourquoi ça t'intéresse autant ? Tu le connaissais à peine.

Au pays, Aman Erum avait hérité d'un certain nombre d'amis, par ses frères, notamment les enfants des relations de ses parents, par Samarra qui connaissait tout le monde et que tout le monde connaissait. Ce n'étaient que des relations épisodiques, en réalité. Il les voyait quand il n'avait pas d'autre choix que d'être vu par eux. Ils venaient en fonction des horaires et des emplois du temps d'autres personnes.

Mais ici, Aman Erum s'installait dans la pièce commune avec Adriana et PiDi, pour regarder les séries policières qui passaient à la télévision de 17 heures à 19 h 30, tout en grignotant des choses salées. Lorsqu'une chaîne diffusait des nouvelles, ils en changeaient pour suivre un nouvel épisode de leur série en cours de diffusion. Lorsque, avant la fin, quelqu'un devinait qui était le coupable, en général Adriana, Aman Erum et PiDi lui tapaient dans la main et la félicitaient.

Ici, il avait des amis. Aman Erum se sentait en sécurité dans les pièces communes et les salles à manger, et il y passait librement ses coups de fil, sans attendre que les autres soient allés se coucher ou sortis pour la soirée.

— Si, je le connaissais.

Aman Erum sentit sa gorge se serrer. Contrairement à sa mère, qui se laissait volontiers aller aux commérages, Samarra trouvait que ce n'était qu'un passe-temps sans intérêt. Aucun de ses frères n'avait évoqué la disparition de Zain ul Abeddin. Sikandar avait seulement dit que, quelques semaines auparavant, on avait découvert une voiture chargée d'explosifs à proximité de l'université. La clé était encore au contact, le chauffeur avait laissé une cigarette allumée dans le cendrier. Il ne s'était éloigné de la voiture qu'en voyant la police militaire approcher du véhicule, n'ayant pas reconnu une immatriculation de Charsadda. Personne n'avait dit à Aman Erum qu'un de ses condisciples était au volant de cette bombe à retardement. Était-ce Zain ul Abeddin ? Aman Erum se surprit lui-même. Ça n'avait presque pas d'importance. Il avait un nom.

— Ne change pas de sujet, Aman Erum. Vas-tu rentrer l'an prochain, oui ou non ?

Il se renfrogna. Il l'espérait, mais c'était très dur pour lui : faire des études, travailler au bureau des inscriptions et rester quand même en contact avec sa famille. Il faisait de son mieux compte tenu des circonstances. Pourrait-il la rappeler la semaine suivante pour qu'ils aient le temps de se parler plus longuement ? Il venait de se souvenir qu'il avait un oral à préparer et qu'il devait apprendre cinq cents mots sur les aspects économiques d'une bonne gestion avant la fin de la journée.

Samarra souhaita bonne chance à Aman Erum pour son oral – elle avait appris à dire ce genre de chose avec lui, des mots qu'elle s'était appropriés pour qu'ils n'aient pas l'air aussi étrangers que lorsque c'était lui qui les formulait.

— Je pense à toi, lui dit-elle timidement, en anglais, encore plus doucement qu'elle n'avait prononcé le nom de Zain ul Abeddin, reproduisant une réplique entendue dans une pièce de théâtre filmée à Karachi.

Mais Aman Erum ne l'entendit pas. Il avait déjà raccroché, puis compté une seconde avant de décrocher à nouveau pour composer le numéro à douze chiffres de sa carte téléphonique qui avait déjà bien servi.

10 h 45

16

Quand Samarra fut identifiée, quand, à partir de cette précieuse information, le colonel remonta jusqu'à la jeune femme au bracelet en argent qui suivait les cours à l'université pendant l'hiver, l'Aïd et les vacances d'été, passant deux heures à la bibliothèque alors que les bâtiments étaient fermés, ils perdirent très peu de temps.

L'information fournie par Aman Erum était trop directe, trop bonne. Elle ne pouvait provenir que de la source. Il leur livrait généralement trop de noms incomplets qui les menait à des hommes déjà dans la clandestinité. Ils savaient – c'était leur métier que de savoir ce genre de chose sur leurs informateurs – qu'Aman Erum n'était pas impliqué lui-même. Mais quel terroriste dans ce trou perdu du Waziristan septentrional pouvait être assez stupide pour livrer des renseignements sur l'encadrement – des noms, non seulement de ceux qui s'étaient récemment volatilisés pour des raisons médicales ou des affaires familiales urgentes, mais encore ceux dont les mères, inquiètes depuis peu, n'avaient aucune raison de l'être *a priori*. Grâce à Aman Erum, les *Khakis* disposaient de renseignements, de pistes toutes fraîches, remarquablement plus précises que les menaces creuses et les tuyaux non exploitables qui arrivaient par fax ou sur le plateau de leurs opérateurs téléphoniques.

Aman Erum excellait désormais dans la transmission de ces infos qui tombaient à point nommé, de sorte qu'ils hésitèrent presque à arrêter la fille. La source allait se tarir, le fil serait coupé. Mais la tentation de l'arrêter fut la plus forte.

Aman Erum se tient à un carrefour bondé. Il jette un coup d'œil derrière lui, se frotte les mains pour les réchauffer. Une heure qu'il marche dans Mir Ali, tournant autour du quartier de la rue Pir-Roshan puis revenant sur ses pas. Le colonel ne quitte jamais vraiment Bismillah Voyages, même quand il s'absente. Il s'arrange pour être là, à Mir Ali, et ne pas être là en même temps, pour n'être ni vu ni entendu sur le territoire même que ses propres forces contrôlent. Ici, on ignore jusqu'à son nom.

Quand les vieux sur les marchés et les jeunes rebelles dans les cellules clandestines parlent des militaires, ils crachent le nom du chef d'état-major de l'armée avec mépris, le prononçant à toute vitesse comme pour ne pas s'attarder dessus. Ils grommellent des invectives contre les généraux qui sont devenus présidents ou le seront bientôt. Mais ils ignorent les noms des chefs de corps ou de ceux qui ont des responsabilités dans le renseignement et ne sont pas répertoriés.

Aman Erum regarde une fois de plus derrière lui pour s'assurer qu'il n'est pas suivi.

Même lui ignore ce que le colonel Tarik Irshad fait exactement au sein des forces armées. Il n'a jamais vu de carte de visite comportant un titre, ni entendu quelqu'un bombarder son nom à des manifestations ou des réunions du club de la presse. Mais il est plus puissant que ces généraux corpulents à l'accent anglais dont on parle sur les chaînes de télé locales. Cela, Aman Erum en est certain.

Comment ils se sont saisis de Samarra, il ne l'a jamais su.

Le colonel n'évoqua jamais ce qui s'était passé avec Aman Erum et celui-ci n'osa jamais lui poser de questions. Elle refuse de le voir depuis qu'il est de retour à Mir Ali. Elle ne répond pas à ses appels téléphoniques ni à ses lettres. Un après-midi, il s'est rendu devant chez elle et a attendu qu'elle sorte. Au bout de deux heures, comme rien ne se passait, il frappa doucement à la porte. Malalai, la mère de Samarra, vint l'entrouvrir, juste pour voir qui était là. Lorsqu'elle aperçut Aman Erum, tel qu'il était avant de partir, elle ouvrit la porte en grand et le prit dans ses bras.

— Aman Erum, *bachaya*, quand es-tu rentré ?

Elle souriait, ravie de le voir. Samarra ne lui avait rien dit à son sujet, à leur sujet. Rien de ce qui était arrivé.

Elle n'était absolument pas au courant du retour d'Aman Erum, alors qu'il y avait un mois qu'il téléphonait tous les jours et qu'il glissait des mots sous la porte. Comment Samarra avait-elle pu cacher ça à sa mère ? Il n'avait pas eu le courage de lui rendre visite avant. Il s'était écoulé suffisamment de temps depuis son retour, pensait-il, pour qu'il vienne se faire pardonner une aussi longue absence.

— Est-ce que Samarra est là, Malalai *taroray* ? demanda Aman Erum au bout d'un moment, d'une voix tendue. J'aimerais vraiment la voir.

Malalai approuva de la tête, tout excitée.

— Mais oui, bien sûr.

Elle regarda derrière elle. La chambre de Samarra était fermée. Malalai s'en approcha en traînant les pieds et se pencha contre la porte.

— Samarra, Samarra !

Aman Erum l'entendit bouger, le cœur battant rien qu'à entendre le bruit de ses pas. Lentement, la porte s'ouvrit et la mère de Samarra sourit, puis annonça la bonne nouvelle en tapant dans ses mains :

— Aman Erum est là, il est revenu.

Elle l'avait dit trop vite. Samarra ne l'entendit qu'une fois sortie de sa chambre. Elle resta une seconde figée sur place. Elle le vit de loin près de la porte d'entrée et Aman Erum comprit qu'elle l'avait vu. Il ouvrit la bouche pour parler, dire quelque chose, n'importe quoi. *Salam*, peut-être, comme il le faisait quand il était enfant, mais, avant même qu'il puisse réfléchir à ce qu'il allait dire, Samarra regarda sa mère et répondit calmement :

— Dis-lui que je ne suis pas là, puis elle referma la porte de sa chambre et la verrouilla.

Les seules nouvelles qu'Aman Erum a d'elle désormais lui viennent de Hayat. Son frère est le seul à lui en donner. Sa Samarra. Samarra Afridi et ses cheveux en bataille dont il n'oubliera jamais le bruit des pas sur le gravier devant la maison. Il ne supportait pas de penser à la souffrance qu'il lui avait causée. Aux petites heures de la nuit, lorsqu'Aman Erum, allongé dans son lit, pensait à Samarra, il se consolait avec l'espoir qu'il arriverait un jour à la convaincre de lui reparler, de le revoir et de lui pardonner ce qu'il avait fait. Il lui écrivait des lettres, encore et encore, et il parlait à sa mère. Il restait assis à attendre derrière la porte grillagée. Ce silence lui fit du bien pendant un temps. Mais, dans ces heures précédant l'aube naissante, il savait qu'il l'avait perdue pour toujours. Et, dans ces moments-là, il haïssait Mir Ali pour ce qu'ils étaient devenus, tous les deux.

Cela s'était passé l'après-midi. Elle rentrait chez elle – il n'était pas plus de 16 heures, le soleil venait de commencer sa descente sur le col. L'impression était étrange, comme s'il avait brûlé en profondeur cette terre friable et rocheuse sur laquelle Mir Ali avait été bâtie, pour chauffer le sol avant que la fraîcheur du soir ne vienne en altérer la température.

Deux voitures s'arrêtèrent dans la rue, l'une devant elle, l'autre à sa hauteur. Elles étaient banalisées, mais on n'avait pas pris la peine d'en teinter les vitres, un accessoire qui aurait été superflu. Il n'y avait personne dont les autorités eussent à se cacher, pas ici, pas à Mir Ali. Les militaires qui en sortirent n'avaient rien à voir avec ceux qui étaient en faction aux postes de contrôle et vérifiaient les papiers d'identité des conducteurs. Ils étaient différents, très différents des hommes positionnés aux ronds-points et autour des mosquées en prévision des grandes fêtes à risques. Ils étaient plus vifs. Plus forts. Ils fondirent comme un vol de lucioles sur Samarra.

Elle sentit leur haleine derrière ses oreilles avant même d'entendre leurs pas. Les semelles de leurs rangers avaient à peine remué la terre sur laquelle elle marchait.

Les portières de la voiture étaient restées ouvertes. Elle avait été soulevée du sol avant même de comprendre ce qui lui arrivait. Elle sentit la vibration du moteur sur ses joues. On lui avait attaché les mains et on l'avait recouverte d'un linge sale, puant la sueur et le diesel, comme un linceul.

Samarra n'avait pas crié. Ni soufflé mot.

— *Zache zoo,* dit une voix derrière elle.

Un rire, une autre voix :

— Y a pas le feu !

— J'aimerais bien y jeter un œil avant de la présenter au chef.

Une autre voix. Plus proche que la première.

Ils s'exprimaient en pachtoune. Ils n'étaient pas d'ici – elle remarqua leurs hésitations. Ils butaient sur les mots, laissaient leurs phrases inachevées. Ils parlaient sa langue pour qu'elle les comprenne. Ils n'étaient pas d'ici. Mais faisaient semblant de l'être. Ils pensaient pouvoir lui faire croire que tout le monde était collabo, qu'ils l'étaient tous autour d'elle.

Le trajet ne fut pas long – ils avaient des maisons et des bureaux un peu partout. On coupa le moteur, et Samarra fut poussée hors de la voiture, tirée par ses vêtements pour la remettre sur pied, puis emmenée dans une pièce chaude. La chaise sur laquelle on la fit asseoir était pliante, froide, et Samarra tenta d'étendre ses doigts sur le siège pour voir combien d'espace elle occupait. Elle ne savait pas du tout si elle était seule ou pas. Le sac de jute qui lui recouvrait le visage et le buste empestait l'odeur d'autres personnes passées là avant elle. Elle était complètement déstabilisée. Était-ce sa transpiration qui sentait le rance à ce point ? Était-ce son haleine qui s'accrochait ainsi au tissu ?

— *Zama lur, zama lur,* quelle sorte de jeune femme peut bien se retrouver dans un poste de police ?

Samarra ne pouvait pas voir le visage de l'homme qui l'appelait sa fille. Elle le sentit seulement tourner autour de son siège, lentement, avant de s'asseoir devant elle. Elle sentit un déplacement d'air ; il n'y avait pas de table entre eux.

— Dis-moi, quel genre de femme sait des choses qu'elle ne devrait pas savoir ? Des choses qui ne la concernent pas. Comment sais-tu toutes ces choses, *zama lur* ?

Samarra secoua la tête. Elle remua le tissu de tous côtés mais sa maille lourde et serrée ne lui permettait pas de voir au travers. Elle sentit ses genoux frotter contre les siens.

— Ça te gêne ? Je vais t'enlever ça tout de suite.

Il tendit le bras et tira sur le tissu, pas trop fort, pas au point de la déséquilibrer, mais sans douceur non plus.

— Il sent ton odeur, maintenant.

Il le porta à ses narines. Sans la quitter du regard.

Ses poches sous les yeux, sombres, comme si le soleil lui avait foncé la peau, lui prenaient la moitié du visage qu'il avait plutôt fin. Des taches de soleil ; il devait avoir la cinquantaine. Pas méchant, un militaire pas loin de la retraite. Elle ne savait pas quel était son grade mais sa poitrine était bardée de médailles.

— Pourquoi suis-je là ?

Elle n'en dit pas plus.

— Ma chère, tu es là parce que tu as trahi ton peuple. Qu'est-ce qu'une jolie jeune fille comme toi gagne à s'attaquer à notre pays ?

— Ce n'est pas mon pays.

Samarra tressaillit en prononçant ces mots, elle tressaillit en les entendant exprimés à haute voix et elle s'arc-bouta, s'attendant à être frappée. Elle connaissait le déroulement de ce genre d'entretien pour en avoir souvent entendu le récit. Elle savait, par des cousins, des camarades, des condisciples, à quel point il était devenu dangereux de s'exprimer sans retenue, avec insolence à Mir Ali.

Mais il se mit à rire. Il se pencha en avant et lui rit au nez.

— Ah, parce que tu te crois plus grande que ce pays ? Penses-tu que cette nation va plier parce que quelques centaines de paysans frontaliers veulent appartenir à l'Afghanistan ?

Il lui crachait les mots à la figure.

— Ce n'est pas ton pays, tu as raison. Tu n'es pas digne de lui.

Samarra baissa les yeux. Et à l'instant où ses paupières se fermèrent, pendant cette fraction de seconde où ses cils se réunirent, une main l'envoya valdinguer de sa chaise. Elle n'entendrait plus jamais de l'oreille droite.

Alors qu'elle gisait au sol, tournée sur le côté, les mains encore attachées dans le dos, l'homme se leva. Il déboucla ou déboutonna quelque chose. Elle entendit un petit déclic et attendit, retenant son souffle. Ce bruit fut suivi d'un petit son mat, quelque chose qu'on posait sur une des chaises pliantes, puis par celui de son pas ; il s'approchait d'elle. Il marcha sur ses cheveux avec ses rangers réglementaires couleur sang de bœuf. D'où elle était, elle les voyait reluire sur la crasse du sol.

— Qu'est-ce que tu crois qu'on fait aux filles comme toi ?

Elle n'arrivait pas à voir son visage ; elle ne sentait que ses rangers qui tiraient sur ses cheveux. Une douleur lui traversa le cuir chevelu tandis qu'il s'accroupissait pour lui parler.

— Qu'est-ce que tu crois qu'il arrive aux *baghi* comme toi ?

— Je ne suis pas une rebelle.

Elle ferma les yeux, pour se préparer à un autre coup. Comment l'avaient-ils trouvée ? Qui avait été assez imprudent pour la livrer à ces hommes ? Tout le monde sait ce qu'ils font aux femmes comme elle. Il y a quelques années seulement, ils ont tous lu dans les journaux l'histoire de ces femmes médecins et de ces secrétaires violées dans les gisements gaziers du Baloutchistan parce qu'elles avaient parlé un peu trop fort des détournements de l'État. Une consultante qui avait été embauchée dans sa ville du Sud pour venir faire un rapport sur ces gisements gaziers avait été violée et tabassée dans le bungalow mis à sa disposition par les autorités, puis laissée pour morte un jour de novembre.

Mais elle avait survécu et accusé un de ses supérieurs d'avoir ordonné et organisé les vingt-trois heures d'abus sexuels qui devaient venir à bout de son esprit trop curieux. Plus tard, elle avait été admise dans un asile pour les infirmes et les fous.

Ses violeurs n'ont jamais été traduits en justice.

Qui donc avait pu pousser la trahison jusqu'à citer son nom ? Aucun nom ne lui vint à l'esprit.

— Comment as-tu appris ce que tu sais ?

Il pencha la tête de côté en la regardant. Elle avait la joue pressée au sol, la peau rouge et écorchée par le coup qu'il lui avait infligé.

Il se releva à nouveau et lui envoya l'une de ses rangers en pleine figure. Elle se mordit involontairement la langue. La mâchoire de Samarra claqua contre son talon.

— Comment es-tu au courant qu'untel n'est plus inscrit à l'université avant même le responsable du service des inscriptions ? Comment sais-tu quelles familles ont fermé boutique pour se retirer dans la montagne avant qu'elles n'aient franchi nos postes de contrôle ?

Il pressa sa ranger contre sa pommette et attendit la réponse, mais elle resta muette.

— Est-ce que tu as une idée de la puissance de ce à quoi tu t'es attaquée ? Sous moi, tu n'es rien, *zama lur*, est-ce que tu le sais ?

Elle ne put ouvrir la bouche pour parler. Elle se contracta, voulant indiquer par là qu'elle avait quelque chose à dire. Il ôta sa ranger de son visage, mais en se déplaçant, il lui marcha à nouveau sur les cheveux. Samarra lécha l'intérieur de sa joue. Elle sentit le goût de la poussière du sol dans sa bouche.

— Je sais qui vous êtes.

Sa voix était plus basse qu'elle ne l'aurait imaginé, comme si elle avait encore le linge qui l'empêchait de respirer sur le visage.

L'homme sourit. Il jouait avec son alliance à la main gauche. Il la faisait tourner dans un sens, une fois, puis en sens inverse, deux fois, comme s'il ouvrait la combinaison d'un coffre-fort. Elle s'attendait à ce qu'il la fasse tourner une troisième fois.

— Je sais que vous êtes de ceux qui ont tout vendu de ce pays que vous défendez tant. Vous avez vendu son or, son pétrole, son charbon, ses ports. Vous êtes même les premiers, en soixante-six ans de l'histoire de votre grand pays, à avoir vendu son ciel. Y a-t-il une seule chose à laquelle vous n'ayez pas touché ?

Le ton de la voix de Samarra monta. Elle sentit ses forces revenir, eut même l'impression d'entendre à nouveau le sang battre dans son oreille droite.

— Mais qui êtes-vous donc pour avoir été jusqu'à vendre le ciel ?

Le visage de l'homme se déforma. Son alliance cessa de tourner. Ses mains lui retombèrent le long du corps. Avec l'œil qui n'était pas fermé, elle le vit venir sur elle. Il lui prit le visage dans ses mains et la souleva pour la mettre debout. Le cou douloureux, elle essaya de se détendre en prévision de la douleur à venir, pour qu'elle soit atténuée par une moindre résistance. Ayant relevé Samarra, le militaire la tint plaquée contre le mur, les mains sur son front et son cou. Elle se jura de ne pas pleurer ; elle se jura, au moment où elle commença à sentir des picotements dans les yeux, de ne pas crier.

— Envoyez les gars.

Il lança cet ordre et la relâcha. Il ramassa son pistolet sur la chaise où il s'était assis sans un regard pour Samarra, le remit dans son étui et en verrouilla le cran de sécurité, avant de sortir de la pièce.

Quand on la relâcha, elle alla se laver chez une amie pour que sa mère ne puisse pas voir ce qu'ils lui avaient fait. Quand Samarra se rendit compte que ce qu'ils lui avaient fait ne pouvait pas être lavé, ni gommé, ni même atténué avec du savon et du maquillage, elle appela sa mère pour lui dire qu'elle allait passer la nuit chez son amie. La pièce était plongée dans l'obscurité, mis à part le halo de lumière provenant de la télévision, branchée sur un des nombreux débats diffusés la nuit. Le volume du son était bas et Samarra ne comprenait pas le présentateur. Malalai avait du mal à entendre sa fille au bout du fil.

Samarra se toucha la joue. Les rangers sang de bœuf avaient laissé leur empreinte sur son visage. La peau écorchée, des hématomes, une constellation de petites veines capillaires rompues. Samarra éloigna le combiné de son oreille. Le son de la voix de sa mère lui faisait mal. Elle sentait le sang lui battre les tempes.

« Juste pour cette fois », promit-elle à sa mère ; il était tard et elle ne voulait pas se déplacer toute seule le soir – « on n'est jamais sûr d'être en sécurité, à Mir Ali », lui rappela-t-elle. Et Malalai, inquiète, finissant par en convenir, se laissa fléchir.

Son deuxième appel fut pour Aman Erum. Samarra composa le numéro et, dans son meilleur anglais, demanda au garçon américain qui avait décroché si elle pouvait parler à Aman Erum. Il mit quatre minutes à venir au téléphone – personne ne l'appelait dans son foyer, c'était toujours lui qui prenait l'initiative. Et, bien qu'il eût donné son numéro aux gens de Mir Ali, en cas d'urgence, c'était le premier appel qu'il recevait de chez lui.

Samarra se mit à pleurer en entendant sa voix. Elle s'était interdit de pleurer jusque-là. Mais, avec Aman Erum, elle se laissa aller. Elle sanglota ; il crut l'entendre hurler. « Ghazan, Ghazan Afridi. » Il crut l'avoir entendue appeler le nom de son père. « Et moi. Et maintenant moi. » À l'autre bout du fil, ses pleurs étaient déchirants. Aman Erum mit un bon moment à comprendre ce que Samarra essayait de lui dire. Au début, il n'entendait pas bien, elle parlait d'une voix étranglée, et il ne comprenait rien à l'exception de *zalim*. Entre deux plaintes, elle le répétait sans arrêt. Injuste. Injuste. Quand il comprit, quand Aman Erum finit par comprendre ce que Samarra lui disait, il lâcha le combiné.

Planté sur le trottoir, silencieux, Aman Erum pense à ce qu'il s'apprête à faire. Il se retourne, une fois de plus, pour s'assurer qu'on ne l'a pas suivi, bien qu'une partie de lui espère que le colonel Tarik n'a pas cessé de le faire suivre. Cette partie de lui espère que le colonel va l'attraper et l'empêcher d'agir. Il regarde sa montre. Il ne reste plus beaucoup de temps. Il doit rejoindre l'endroit convenu et passer le coup de fil. Les prières sont à midi. Il lui reste moins d'une heure.

17

Sikandar ne quitte pas des yeux les talibans qui sont en train de se concerter. Ils ne sont manifestement pas d'accord. Comme ils finissent par voir qu'il les regarde, il se détourne. Mina est parfaitement immobile. Elle n'a pas bougé depuis que l'homme au turban bleu clair s'est écarté de sa portière. Mina met ses mains sur ses genoux et parle à son mari à voix basse. Contrairement à lui, elle ne baisse pas les yeux. Elle ne courbe pas la tête. Elle regarde droit devant elle la forêt qui les entoure, cette nature sauvage qui leur est si peu familière.

— Qu'est-ce que tu fais ?

Sikandar ne parvient pas à répondre. Il secoue la tête, à peine, trop peu pour que Mina puisse voir le mouvement. Elle ne s'est pas tournée pour le regarder.

— Qu'est-ce que tu comptes faire pour nous sortir de là ?

Elle a parlé en accéléré, entre ses dents.

Sikandar essaie de répondre. Il voudrait lui dire que tout va bien se passer, de considérer ça comme un poste de contrôle – ils en ont déjà franchi des centaines, des milliers jusque-là –, il n'y a rien de différent, le péage, seul, est inhabituel. Mais rien ne sort. Il secoue à nouveau la tête, qui semble animée d'un mouvement incontrôlé, comme le tremblement nerveux d'un colibri. Son cou se raidit.

— Mina...

Elle se tourne vers lui, sortant de son immobilité.

— *Kha*, dis quelque chose.

— Je suis désolé...

Il la voit se pencher en avant, épaules voûtées, puis se redresser comme par défi à l'égard de ce corps qui la trahit. Il l'entend prendre une inspiration rageuse, précipitée. Sikandar voit le corps de Mina se tendre. Elle se détourne pour faire face au tableau de bord.

— Je suis désolé.

Elle fait la sourde oreille. Elle ôte son sac à main de ses genoux, le place d'abord entre ses cuisses et la portière, encombrant son siège, puis se ravise. Et si les talibans la soupçonnaient de se mettre trop à son aise ? Mina plie son sac pour qu'il prenne moins de place, et là Sikandar l'entend à nouveau. Comme des perles qui s'entrechoquent. Il est presque sûr que ce sont des perles.

Il tend l'oreille, sans lever les yeux, guettant le bruit que font les objets invisibles en s'entrechoquant chaque fois que le sac de Mina bouge. Pour la première fois ce jour-là, il l'entend nettement. Qu'a-t-elle bien pu cacher là-dedans ? Sikandar compte les bagues qu'elle porte aux doigts : il n'en manque pas une seule. Il vérifie distraitement les boutons de son cardigan. Il laisse ses yeux se repaître du corps de sa femme avant de les fermer.

Des graines de tamarin.

On les compte aux obsèques. Avec les prières qu'on offre comme suppliques à Dieu, au nom du défunt. Elle les transporte avec elle.

Sikandar tourne légèrement la tête pour regarder Mina. De profil, leur fils ressemblait à sa mère. Un petit nez, des pommettes hautes, presque mongoles, des cheveux soyeux. Les siens sont devenus cassants et blanchissent par manque de soins. Zalan et lui se ressemblaient très peu. Il n'avait pas assez grandi pour avoir les traits épais de son père. Mais il était peureux, comme lui. Ils avaient ça en commun, la peur. Le cœur de Sikandar se serre au souvenir de l'héritage de son fils.

Pendant une courte période, quand les nuits étaient plus longues, Zalan était tout à Sikandar. Il s'installait dans l'ombre de son père et ne le quittait qu'au moment où il fermait les yeux pour s'endormir. C'était Sikandar qui le couchait avec une petite histoire et trois baisers, un de plus pour lui souhaiter bonne chance.

Sikandar n'a pas repensé à ces soirées depuis un certain temps. Il s'est interdit de se laisser aller à penser à son fils. Assis dans la fourgonnette avec Mina, il ne souhaite rien d'autre que le calme, pour pouvoir se replonger dans ces soirées lointaines.

Pour lui, Zalan restera toujours ce petit garçon endormi, apeuré, pas très sûr de lui, mais fier.

— J'ai trop peur pour pouvoir fermer les yeux, Baba, disait-il, sa couverture de fausse fourrure remontée jusqu'au menton, ses cheveux épars pris dans sa bouche et ses cils.

Il devait se dégager les mains pour les enlever de là.

— Mais pourquoi ? lui demandait doucement son père.

— Quand je ferme les yeux, la nuit, répondait Zalan, je fais des cauchemars.

— Ferme les yeux et visualise deux lions, lui disait Sikandar avec une telle autorité dans la voix que son fils s'asseyait pour l'écouter. Pense à eux comme à des statues, des gardiens. Ils veilleront sur les ministères et les bâtiments de tes rêves.

Il n'en fallait pas plus à Zalan. Rassuré par les lions, les gardiens qu'il s'inventait, il se laissait gagner par le sommeil au creux de l'épaule de son père.

Des larmes montèrent aux yeux de Sikandar.

Les hommes se séparent et reprennent chacun leur position autour de la fourgonnette, les kalachnikovs serrées tout contre eux et pointées vers le siège du conducteur. Le chef parle d'une voix moins assurée à présent.

— Tu es musulman ?

Sikandar se tourne vers la vitre.

— Mais oui, dit-il en confirmant de la tête. Oui, bien sûr que je suis musulman.

Le taliban s'entoure le cou de son châle, dégageant ainsi ses bras empêtrés un peu plus tôt, au moment où il avait enfoncé le canon de son arme dans le visage de Sikandar.

— Tu es croyant ?

Sikandar se sent ridicule, maintenant. Il s'est inquiété pour rien, il ne peut pas avoir peur de ces jeunes gens, même armés de leurs fusils d'assaut.

La pluie, qui s'est brièvement interrompue depuis une demi-heure, est de retour. L'eau tombe sur le *shalwar kameez* élimé de l'homme au visage émacié. La tunique humide lui colle à la peau. Elle est transparente. Mina pense voir les contours d'un tee-shirt en dessous. Elle aperçoit des couleurs passées avec le temps, du jaune, du vert. Elle croit deviner la silhouette de l'homme représenté sur le tee-shirt : Bob Marley. Mina regarde ses pieds.

— Mais oui, bien sûr. Je conduis le docteur au village où on a besoin d'elle ; ensuite, je rentrerai faire mes prières.

Sikandar sourit pour encourager la solidarité. Il sourit prudemment, anticipant la réponse positive que l'évocation de ses prières va susciter. Le taliban ne répond pas à ce geste.

Mina respire calmement sur son siège. Elle ferme les yeux pour la première fois et se concentre sur les voix de ces hommes. Sikandar la regarde, en quête d'approbation, pour qu'elle lui fasse des excuses à présent. Elle a eu tort de douter de lui. Mais il voit qu'elle a encore le front tendu, les traits terriblement tirés. Il l'entend grincer des dents.

— Tu plies les bras quand tu pries, *drever*...

Sikandar ne le laisse pas finir sa phrase. C'est un malentendu. Il s'empresse d'assurer le taliban de ses bonnes intentions et de ce qu'il est sur le bon chemin.

— Frère, *ror*, je suis musulman. Je prie chaque semaine. C'est mon père qui m'a conduit à la *munz* pour la première fois, quand j'étais enfant. J'ai appris à parler à Dieu avant de savoir écrire. Moi-même, j'ai enseigné à mon fils à rendre grâce. Aujourd'hui, je prie pour la bénédiction de l'Aïd.

Le taliban au visage émacié pousse son arme à l'intérieur de la cabine, l'enfonce dans l'épaule de Sikandar.

— Je t'ai posé une question. Réponds.

Le pâle sourire de Sikandar est chassé par la brûlure du canon de la kalachnikov contre son *shalwar kameez*. Il est chaud ; il vient tout juste de servir.

— Je suis désolé, je suis désolé, *ror*. J'ai mal compris.

— Je t'ai demandé si tu étais musulman.

Sikandar répond avec prudence :

— Mais oui. J'avais cinq ans quand j'ai dit le *kalma* pour la première fois.

— Tu ne m'as pas compris, *drever*. Tu pries combien de fois ?

Sikandar ne veut pas se trahir en disant qu'il ne prie qu'une fois par semaine, une fois par mois – en vérité, une ou deux fois par an –, mais s'il ment et déclare prier chaque jour, ils pourraient se douter de quelque chose. Ils ont partout des hommes à eux ces temps-ci, notamment dans les mosquées, des hommes qui pourraient le dénoncer comme pécheur et comme menteur. Sikandar soupèse l'alternative. Les fidèles négligents peuvent espérer une rédemption. Pas les menteurs.

— Je ne suis...

Sikandar commence, mais il n'arrive pas à parler sous le regard de Mina, qu'il sent furieux. Elle sait qu'il est lâche.

— Je ne suis qu'un modeste chauffeur... je n'ai pas le temps de vivre comme un bon musulman... je prie le vendredi chaque fois que je peux m'absenter un moment de mon travail...

Le taliban fait rapidement pivoter son arme et frappe Sikandar à la tempe avec le canon rouillé de la kalachnikov.

— *Chap sha !* Ferme-la ! Tu crois que je plaisante ?

Sikandar lève les mains. Il y a du sang sur son *shalwar kameez* blanc. Des gouttelettes d'un beau rouge vif tombent sur ses genoux, mais il n'arrive pas à sentir l'endroit où le canon l'a blessé. Son visage, sa tête, son cou, son épaule sont endoloris et lui pèsent. Il se lèche les gencives. Il n'a pas de sang dans la bouche. Il respire la riche senteur de l'air, purifié par les pommes de pin.

— Tu pries trois fois par jour, dis-moi ?

Sikandar comprend maintenant, sa méditation ayant été interrompue, que ça vient de l'arcade sourcilière. La peau située au-dessus de son sourcil gauche a été arrachée. Son œil le brûle et il cligne des yeux à plusieurs reprises pour empêcher le sang de couler dedans.

— Non, mon frère, je suis désolé. Je ne prie pas tous les jours, mais je vais le faire. Vraiment, je vais le faire.

Sikandar promet aveuglément, avec empressement. Ils ne peuvent pas lui taper dessus pour ça. Le chef taliban regarde en direction de son acolyte qui est retourné prendre position du côté de Mina. Il lui fait un signe de tête et l'autre lève son arme automatique pour la placer contre la tête de Mina. Le taliban au visage émacié se penche contre la fourgonnette pour passer la tête par la vitre ouverte de Sikandar.

— *Khar bachaya.*

Il murmure l'imprécation à l'adresse de Sikandar.

— Tu es sunnite ou chiite ?

18

Lorsque Aman Erum cessa de l'appeler, Samarra se tourna vers Hayat. Elle n'arrivait pas à comprendre, surtout après ce qui s'était passé, pourquoi il ne l'appelait plus le matin, pour la réveiller avec la sonnerie stridente du téléphone. Elle ne comprenait pas ce qui était arrivé au garçon qui s'avançait vers elle en clopinant, tirant une jambe ankylosée à force de l'attendre, assis avec ses livres près de la porte grillagée.

Aman Erum avait tout bonnement arrêté de répondre à ses appels. Au début, quiconque décrochait le téléphone revenait quelques minutes plus tard pour dire d'une voix distraite à Samarra qu'Aman Erum n'était pas dans les parages. Mais ensuite, ses appels se faisant plus fréquents, plus insistants, personne ne prit plus la peine de revenir le lui dire ; on la laissait pendue au téléphone, comme le combiné, sans réponse.

Samarra attendit une lettre, une carte postale, une enveloppe contenant un ticket de musée ou de cinéma. Mais Aman Erum n'envoya pas un mot. Elle passait devant chez lui le soir, se cachant le visage au crépuscule, jetant un coup d'œil dans l'allée en quête d'un signe indiquant que quelque chose d'autre clochait. Elle n'arrivait pas à se résoudre à entrer, à parler à sa famille. Pas ainsi, alors qu'elle avait encore sur le visage la marque d'une belle ranger sang de bœuf de l'armée. Mais, nuit après nuit, Samarra ne vit pas de lumière en plus, pas de silhouette se déplaçant furtivement, rien.

À sa mère, Samarra raconta qu'elle avait eu un accident. Ça faisait si longtemps qu'elle n'avait pas fait de moto, lui dit-elle. Malalai, qui ne pouvait pas entendre parler de Ghazan Afridi sans se mettre à pleurer, n'en demanda pas plus. Mais tous les autres la regardèrent avec insistance. L'air soucieux, très inquiet. Comme s'ils savaient.

Samarra s'installa dans le cybercafé Shah Sawar et, les cheveux rabattus sur le visage, fit toutes sortes de recherches pour avoir des nouvelles du New Jersey. Mais rien. Elle se souvint de ce qu'Aman Erum lui avait raconté de ce café et de ses activités clandestines. Les hommes – il n'y avait que des hommes chez Shah Sawar, aux postes qui entouraient le sien – déplacèrent leur écran. Certains se levèrent et demandèrent au propriétaire de changer de place. D'autres se contentèrent de dévisager cette femme seule assise devant un ordinateur. Elle les mettait mal à l'aise. Elle n'était pas censée se trouver là. Mais Samarra s'en fichait. Elle avait les yeux rivés sur l'écran. Rien. Elle ne trouva pas la moindre information sur Aman Erum.

Samarra finit par emprunter l'allée qui menait à la maison de la rue Sher-Hakimullah pour aller frapper à la porte grillagée. Elle parla à la mère d'Aman Erum. Zainab fut trop contente de lui dire qu'Aman Erum continuait d'appeler chez lui, plus souvent, même, pour parler de ses études à ses frères et s'enquérir des nouvelles locales.

— Je ne comprends pas ce que j'ai fait, dit Samarra, assise à la table de la cuisine face à la vieille dame.

Elle lui parlait tout en gardant les yeux rivés sur la nappe en plastique.

Samarra n'était pas habituée à Zainab. C'était Inayat qu'elle connaissait surtout, de ses vacances d'été avec Ghazan Afridi, mais il était alité. Elle ne pouvait pas le déranger.

— Inayat a-t-il dit quelque chose ? demanda-t-elle, pleine d'espoir. (Zainab fit non de la tête.) Quand Aman Erum est parti, quand il se préparait à partir, il m'a dit qu'il y allait pour nous.

Samarra fut gênée par cette déclaration. Elle se rappela la promenade le long des ruelles désertes derrière la mosquée cette nuit-là. Elle sentait encore la lessive qui séchait au-dessus de leurs têtes.

— Est-ce que...

Samarra ne savait pas quoi demander à Zainab. Elle essaya de se cacher derrière ses mains, qu'elle leva pour se couvrir la bouche en parlant.

— Est-ce qu'il a changé ses plans ?

Hayat se tenait dans le couloir menant à la cuisine. Ayant entendu la voix de Samarra, il était venu jeter un œil, voir de quoi il retournait, mais elle ne ressemblait pas à la jeune femme dont il avait gardé le souvenir quand il était enfant. Il se rappelait l'avoir observée depuis une fenêtre à côté de l'escalier. Assise dehors avec Aman Erum, elle riait et lui pinçait la joue entre le pouce et l'index, l'asticotant, le dominant de toute sa taille d'adolescente dégingandée. Elle avait toujours été belle. Elle n'était plus la même, à présent – elle semblait inquiète, effrayée même. Hayat voyait bien qu'elle faisait tout ce qu'elle pouvait pour ne pas montrer sa colère. Il la regarda s'en prendre à la peau sèche de ses lèvres en parlant à Zainab.

Celle-ci ignora l'inquiétude perceptible dans la voix de Samarra et versa le thé, écartant ses soucis d'un geste.

— Tu sais comment sont les jeunes, toujours occupés, inaccessibles, si difficiles à comprendre ; ils ont tellement de responsabilités.

Mais Samarra ne se laissa pas convaincre. Hayat le vit depuis le couloir.

— On va pas me laisser encore... commença Samarra puis elle s'interrompit.

Zainab attendit qu'elle finisse ; ne pouvant pas deviner la fin de la phrase, elle se leva pour aller chercher un peu de miel à verser dans le thé.

— On va pas me laisser encore sans...

— Sans quoi, *bachaya* ?

— On va pas m...

Le dos de Samarra se gonflait à chaque inspiration.

Hayat ne put supporter de l'entendre le dire. Zainab revint avec le miel et rassura Samarra en lui mentant, lui tapota les mains – griffées par un fil d'argent qui dépassait de son bracelet – et lui dit qu'Aman Erum avait dû être très occupé, qu'il ne fallait pas s'inquiéter. Mais, quand Samarra quitta la maison ce soir-là, demandant la bienveillance de Zainab avant de se ruer dehors par la porte principale, Hayat la suivit. Elle avait perdu du poids. Ses longs cheveux encadrant son visage fatigué paraissaient plus épais. Elle avait les ongles écaillés jusqu'aux lunules. Les lèvres sèches, crevassées, mordues jusqu'au sang. Hayat lui proposa de la ramener chez elle sur sa moto.

Elle eut une drôle de sensation, assise derrière le frère d'Aman Erum. Il était plus jeune, mais plus grand que son aîné, depuis toujours. Elle avait joué au cricket avec lui quand il était plus petit. Elle ne voulait pas qu'il la voie ainsi, bouleversée, débraillée. Elle n'avait jamais été comme ça, même quand elle avait dix-sept ans.

Elle secouait la tête à présent, et ses longs cheveux lui caressaient le dos – elle refusa de porter un casque bien que Hayat lui en ait poliment proposé un, qu'il ne portait jamais et gardait sous la selle.

Hayat se tut jusqu'à ce qu'ils soient en route.

— Il appelle, tu sais.

Assise en amazone, mais avachie, Samarra se redressa et attendit qu'il poursuive. Hayat avait presque espéré que ses paroles se perdraient dans les bruits de la circulation de l'après-midi. Mais il les avait prononcées. L'espace d'une seconde, Samarra lui serra la taille.

— Que dit-il ?

— Comme toujours, pas grand-chose. C'est surtout nous qui parlons. Mais quand même, il appelle.

Samarra ne pleura pas, elle ne pleure jamais. Elle se contenta de hocher la tête et de la reposer contre le dos de Hayat.

C'est à ce moment-là qu'ils commencèrent à se parler. Hayat raccompagnait Samarra chez elle depuis l'université, la conduisait chez des amis, ou au marché, pour acheter des fruits. Il ne la laissait jamais seule. Au début, Samarra ne lui dit pas un mot de ce qui lui était arrivé. Ces sept heures de son existence n'avaient pas eu lieu. Elle aurait voulu les mettre entre parenthèses, réécrire l'histoire, sauter ces heures-là, modifier l'horloge du temps. Mais il comprit. Il comprit que plus elle voudrait les fuir, plus ces heures la poursuivraient.

Aman Erum s'était mépris sur le niveau d'implication de Samarra dans la résistance. Il lui avait attribué un rôle essentiel, quel qu'il soit, mais il s'était trompé. Elle n'était qu'un messager de l'ombre – disant à telle personne de quitter un lieu réputé sûr, rendant visite à la mère d'un chef pour lui apporter des vivres et de l'argent pendant que son fils ou son mari se tenait caché, prenant des notes sur des horaires devant être codés puis décodés. Des petites missions. Samarra exécutait des petites missions pour la résistance. Son rôle n'était pas central. Il était même négligeable. Mais Aman Erum l'engagea plus profondément dans le mouvement ; c'est là qu'elle chercha une protection après ces sept heures à jamais perdues.

Son frère, Hayat, avait joué un rôle essentiel. Il n'avait pas dit un mot, rien qui puisse intriguer Aman Erum – et l'alerter. Aman Erum aurait dû insister auprès de lui mais il n'en fit rien. Il savait que Hayat était très apprécié à l'université, qu'il participait silencieusement à des manifestations, feignant d'y aller en observateur plutôt qu'en acteur. Il savait où Hayat avait appris à choisir son camp. Ce dernier ne pardonnait à aucun de ceux qui s'en prenaient à Mir Ali.

Hayat entra donc en scène et s'occupa de Samarra. Il la consola de la cruelle absence de son frère et mesura à quel point elle s'était appropriée la fureur de son père. Désormais proche d'elle, Hayat l'encouragea à reprendre le travail qu'elle avait entrepris, auprès des hommes pour lesquels elle avait rempli le rôle de messager. Il leur parla d'elle. L'engagement de Samarra ne pouvait pas être mis en doute. Elle reprit très vite du service pour se venger.

— Ghazan Afridi ne reviendra jamais, dit-elle à Hayat un soir qu'elle était à l'arrière de la moto. Ça fait plus de soixante-dix mille heures qu'ils le détiennent sans explication.

Hayat écoutait, espérant qu'elle n'en avait pas vraiment effectué le décompte.

— Soixante-dix mille quatre-vingts heures, précisa Samarra d'une voix ferme.

Après avoir supporté pendant des années les vains espoirs des gens de son entourage : « Il va finir par revenir. N'est-ce pas ? C'est obligé », elle avait enfin confirmation de la réponse qu'elle-même s'était donnée.

Samarra remplaçait les hommes à mesure qu'ils tombaient. Elle les remplaçait même lorsqu'ils n'étaient pas tombés. Dans le court délai que permettent de tels mouvements révolutionnaires, manquant eux-mêmes de temps, elle était devenue une figure emblématique dans la bataille de Mir Ali.

Hayat l'avait regardée évoluer, avait vu sa peur se déplacer, changer d'objet. Il n'aurait pas pu être plus encourageant à son endroit. C'est même d'elle qu'il finit par prendre ses ordres. Il ne s'opposait jamais à elle, ne remettait pas en question son pouvoir grandissant. Quand elle décida que leurs réunions ne se tiendraient plus sur les pelouses du campus, dans un endroit ombragé où ils feignaient de pique-niquer innocemment, mais dans la tour sombre du département d'histoire, Hayat ne lui demanda pas pourquoi, alors que c'était leur coin à tous les deux.

C'était là qu'il l'avait tenue pour la première fois dans ses bras, alors qu'elle lui parlait de la journée des sept heures. Dos à la porte, Samarra parlait à Hayat de l'homme aux rangers sang de bœuf. Sans élever la voix d'une octave, elle lui parla des heures qui s'étaient écoulées avant que ces hommes ne quittent la pièce. Elle s'exprimait avec des phrases courtes. Elle ne pleura pas, mais resta adossée à la porte. Elle n'arrivait pas à s'abandonner tout à fait. Hayat lui laissa de l'espace. Ses cheveux volaient à cause de l'électricité statique, se collant à la porte pendant qu'elle parlait. Hayat écouta silencieusement, mais elle se retenait, restait en retrait. Il la vit trembler en prononçant certains mots. Hayat était presque sûr de l'avoir vue trembler. Des rangers sang de bœuf. Hayat se rapprocha encore de Samarra dans cette salle de cours vide de la tour sombre.

Ç'avait été leur coin.

Leur tour.

C'était là que Hayat l'avait embrassée pour la première fois.

C'était au-delà des mots. Hayat était devant Samarra, nerveux, dans l'obscurité. Il y avait des yeux partout dans Mir Ali ; les gens vous observaient même pendant que vous dormiez, que vous rêviez. Aucune conversation n'était à l'abri d'oreilles indiscrètes, aucune pensée, fût-elle fugitive. Hayat ne pouvait pas dire ce qu'il éprouvait. Il voulait juste être auprès de Samarra, la protéger, respirer le jasmin dont le parfum persistait jadis sur ses poignets.

Il prononça doucement son nom. Elle leva son visage pour le regarder, essayant de ne pas cligner des yeux. Elle ne voulait pas l'arrêter mais elle avait peur. Elle ferma les yeux. Hayat s'approcha d'elle. Il n'arrivait plus à penser. Il ne voyait que cet instant dérobé, volé à Mir Ali où ces secrets-là n'avaient pas leur place, ni Samarra. Samarra avec son grain de beauté dans l'iris. Il se répéta son nom, encore et encore, silencieusement, jusqu'au moment où il eut le courage de lui soulever le menton pour rencontrer ses lèvres.

Hayat était si nerveux qu'il avait attendu trois secondes de trop, le temps de répéter Samarra deux fois de plus pour lui-même. Le temps qu'elle ouvre les paupières. Hayat pencha la tête et lui embrassa le front, puis les yeux, le gauche et le droit, et comme elle ne se dérobait pas, il finit par lui déposer un baiser sur les lèvres.

Elle organisa les réunions en ce lieu onze mois plus tard. Dans cette même salle. Elle avait fait asseoir sa petite assemblée de « bossus » par terre, elle-même allant se poster loin de la porte.

Hayat se ralliait au jugement de Samarra plus souvent qu'il n'imposait le sien. Mais elle avait aussi changé dans d'autres domaines. Elle s'était endurcie. Bien trop vite. Elle était devenue trop ambitieuse. Elle n'avait plus peur de ce qui pourrait lui arriver, rien ne pouvait plus l'arrêter.

Elle se disait parfois que ce qu'ils pouvaient encore lui infliger était sans doute bien pire que ce qui lui était arrivé. Elle ne les avait supportés que sept heures, n'avait été que sept heures en leur pouvoir. Qu'était-ce par rapport à une vie entière à avoir peur ? S'ils la prenaient maintenant, que pourraient-ils faire de pire ? Que ça dure quatorze heures ? Vingt et une ?

(Soixante-dix mille quatre-vingts heures. Ces calculs-là ne lui faisaient plus peur.)

Elle négociait avec des chiffres sur lesquels elle n'avait aucune prise. Samarra échappait à ses souvenirs en s'impliquant plus avant dans ce pour quoi elle avait été punie. Elle n'aurait plus jamais peur d'eux, de l'homme à l'alliance, plus jamais. Cette fois, Samarra avait pris ses précautions. Il n'y avait plus personne à protéger des conséquences de ses actions, personne qu'elle aime suffisamment. Elle avait rompu ces liens, pris de la distance vis-à-vis des relations affectives.

Et c'était ce qui la rendait dangereuse.

Jamais Samarra ne douta de sa capacité à gagner cette bataille. Ce qui la rendait imprudente.

— Samarra, dit doucement Hayat, ça va tout changer. Tu le sais. Tu peux stopper ça – tu peux encore changer de plan.

Il se passe une main dans les cheveux, tenant son *pakol* trempé de l'autre.

Elle sourit, ne l'écoute pas. Il baisse les mains. Il ne sait plus comment l'atteindre.

— Tu sais que tu ne pourras plus jamais rentrer chez toi – es-tu prête pour ça ? Es-tu prête à perdre la vie en même temps que le gouverneur ?

Samarra sourit à nouveau. Elle ne l'a pas quitté des yeux.

— Quelle vie, Hayat *jan* ?

11 h 06

19

Sikandar ne peut pas répondre. S'il leur dit, ils vont l'exécuter.

Des gens venus de Peshawar parlaient de coups de feu tirés de motos en marche qui se faufilaient le long de voitures d'hommes d'affaires chiites bien connus, des hommes en turbans vert perroquet assis sur les tansads les mitraillant au feu rouge. Ils tuaient aussi des inconnus – commerçants, modestes négociants en épices et miroitiers – dans les bazars de la ville polluée par le smog.

Ce mouvement des turbans verts s'était déjà répandu très largement, avant que les talibans ne les rendent célèbres dans le monde entier. Au cours des années précédant leur montée en puissance dans les zones montagneuses, les attaques ne s'étaient pas limitées à Peshawar. À Karachi, on avait connu des années noires, avec des campagnes d'assassinats ciblés contre des médecins chiites. Près de deux cents d'entre eux avaient été tués en une dizaine d'années. Un bon nombre de médecins des grandes villes du pays avaient émigré au Canada ou en Europe, dans l'incapacité où ils se trouvaient de pouvoir exercer leur métier ou vivre leur foi en toute sécurité.

À Quetta, ils s'étaient attaqués à des processions religieuses, tuant les fidèles dans leurs mosquées les jours les plus marqués par la solennité et l'émotion. À Multan, ils avaient placé des bombes dans les allées et les jardins proches des habitations. Ils sortaient des enfants de leurs bus scolaires et leur tranchaient la gorge au bord de la route. Ils assassinaient des hommes, sous prétexte d'aplanir une querelle de succession remontant à plus d'un millénaire, des hommes qui avaient usurpé un pouvoir.

Sikandar n'est pas croyant. Il n'a pas au front la marque de prosternation qu'ont de nombreux chiites, signe de dévotion laissé par les tablettes sculptées qu'ils mettent sur leur tapis de prière pour que les stigmates des prosternations quotidiennes se voient sur leurs visages. Il ne porte pas de nom trop révélateur, rien qui puisse trahir la fidélité de sa famille à cette ligne de succession orthodoxe. Il ne croit pas aux seconds avènements ni aux prophètes tant attendus ; et même, à dire vrai, c'est quelque chose qui ne le préoccupe guère.

Mais il est chiite. Par la naissance. C'est suffisant.

Sikandar lève ses deux mains, paumes tournées vers le chef et incline la tête devant lui.

— Je suis musulman, mon frère. Je t'en prie, laisse-nous y aller.

— Nous ne considérons pas les infidèles comme des membres de la tribu.

Le taliban au visage émacié sort de sa réserve et paraît tout à coup moins sous-alimenté, regonflé par le seul pouvoir de sa foi. Il empoigne son arme comme un sabre, menaçant de l'abattre sur Sikandar, avant d'aboyer :

— Si tu n'es pas chiite, dis-le ! De qui te caches-tu ?

Sikandar incline encore un peu plus la tête. Qu'il a lourde de sueur et de sang. Mina commence à murmurer tout bas. Il laisse le sang monter à ses oreilles pour ne pas l'entendre. Elle se balance doucement d'avant en arrière sur son siège. Sikandar espère qu'elle n'est pas en train de prier. Il espère que rien ne viendra témoigner de ce qu'ils sont différents.

— Je ne suis pas chiite, mon frère. Je t'en prie. Je ne suis pas chiite. Je suis musulman.

Les talibans se sont tus et pendant qu'ils réfléchissent à sa fausse confession, qu'ils échangent des regards exaspérés, Sikandar prie en silence.

Il prie pour qu'on les libère. Il prie pour que Mina garde son calme, alors même que le bourdonnement émanant d'elle s'amplifie, qu'il sent son corps se raidir à chaque mouvement. Elle tremble maintenant. Puis, elle se redresse brutalement et produit un grognement sourd, guttural. Une explosion de colère fatale à ce stade. Mais c'est Dieu qui commande, n'est-ce pas, c'est par sa volonté que le calme superficiel de Mina l'abandonne au pire moment. Elle se frappe la poitrine et le cœur du plat de la main. Il connaît cette séquence. Sikandar sait que Mina va se mettre à parler. *« Ya Ali, ya Ali »*, va-t-elle marmonner, des paroles qui lui rappelleront qu'elle n'est pas seule à souffrir. Elle les prononcera pour obtenir de la force, du réconfort. Ne les dis pas, Mina. Il ferme les yeux, les maintient énergiquement fermés. Je t'en prie, ne les dis pas.

Cette façon qu'elle a de se frapper le cœur de la main est suffisante. Les talibans peuvent reconnaître l'hérésie à ce simple geste. Elle grommelle les paroles. Sikandar espère être le seul à les comprendre. Elle va les faire tuer. Mina n'a jamais dissimulé sa foi, n'a jamais menti pour se protéger ou se sentir intégrée.

L'homme au visage émacié se déplace vers l'avant de la fourgonnette pour parler à l'un de ses subordonnés. Sikandar ne le voit pas bouger ; comme il a la tête baissée, les mouvements lui échappent un peu. Il revient en reculant, trois pas en arrière. Il agite son arme vers Sikandar.

— Enlève ton *shalwar kameez*, lui ordonne-t-il.

Sikandar n'arrive pas à suivre le cheminement des pensées du taliban qui tient un discours hermétique pour lui. Il ne comprend pas ce qui fait de vous l'un des leurs et ce qui fait de vous leur ennemi.

— Mon frère, je...

— Je ne suis pas ton frère ! hurle l'homme.

Il garde la main sur la kalachnikov, ne prend même pas la peine d'essuyer le crachin sur ses pommettes brûlées par le soleil. La pluie s'accroche à lui comme de la glycérine.

Sikandar désigne Mina d'un geste.

— Je ne peux pas. Je t'en prie.

Le taliban veut voir son dos, vérifier les marques d'Achoura dans sa chair. Ils veulent voir s'il s'est fouetté à coups de chaînes par-dessus les omoplates pour compatir aux souffrances de la famille du Prophète lorsqu'elle fut massacrée à Kerbala.

Ils veulent savoir s'il est de ceux qui se frappent les mains sur la poitrine, comme Mina, jusqu'à ce qu'ils aient la peau à vif. S'il est de ceux qui marchent pieds nus en processions dans des rues non balayées, s'abîmant la plante des pieds sur des morceaux de verre, des épines ou des mégots de cigarettes encore embrasées.

Sikandar tressaille, anticipant un nouveau coup, et se met à sangloter de nervosité et de désespoir. Il n'a pas une pensée pour la mère dont l'enfant à naître est étranglé par son cordon ombilical, alors qu'il est venu dans ce coin perdu pour lui sauver la vie et, à ce moment précis, à cette seconde même, il n'a pas non plus de pensée pour sa femme, qui ne pourra plus jamais regarder son mari. Il ne pleure que sur lui-même, à cause de ce qui risque d'arriver dans les prochaines minutes, lorsque sa foi sera confirmée, le condamnant.

En une heure, il s'est plus couvert de honte que Mina pendant des mois d'hystérie. Tout ce qu'il n'a jamais laissé son corps dire sous l'effet du chagrin ou de la tristesse s'exprime sous l'emprise de la peur. Il n'arrive pas à se contrôler. Ses larmes ne font qu'irriter le chef.

Avec la main dont l'index n'est pas sur la détente de la kalachnikov, le taliban empoigne les cheveux de Sikandar et lui tire la tête en arrière, le plaquant contre le dossier du siège. Il approche son visage à un centimètre du sien. Sikandar sent son odeur ; une odeur de terre et de pluie sur sa peau tannée.

— *Kafir*[9].

L'homme lui crache dessus.

Sikandar n'arrive pas à respirer. Les larmes le font suffoquer.

Le taliban resserre l'emprise de sa main sur sa tête. Il se redresse et fait monter une cartouche dans la chambre de son fusil d'assaut.

---

9. « Mécréant », « infidèle », en arabe.

— *Kafir*, répète-t-il avec mépris.

Mais, juste au moment où il pointe son arme sur son cœur, il est interrompu par un cri.

C'est un cri qui transperce la petite pluie, le souffle court et saccadé que s'autorise Sikandar, et l'inébranlable rage du taliban.

Le visage émacié du chef se crispe. De saisissement, il relâche Sikandar, dont les cheveux tombent de son poing, et regarde ses camarades.

Mina est sortie de la fourgonnette. Elle a ouvert sa portière et bousculé l'homme à la barbe clairsemée et au turban bleu clair posté de son côté. Elle l'a bousculé sans ménagement, le touchant, contrairement aux usages. Plaquant ses mains sur lui, elle l'a poussé de toutes ses forces, avec une telle brutalité, que l'homme est tombé en arrière, lui laissant la voie libre. Le taliban n'a rien pu faire ; il n'a pas pu retrouver son équilibre en lui saisissant les poignets. Elle a foncé, dépassé l'adolescent qui montait la garde devant le moteur, comme s'il s'agissait d'un être vivant, arme pointée sur le capot, prêt à tirer au cas où le conducteur démarrerait sans son autorisation.

Mina a crié au moment où celui-ci a tenté de l'arrêter, et c'est ce cri qu'a entendu le chef.

— *Zalim !* hurle-t-elle, debout sous la pluie. C'est injuste !

Mina hurle à en perdre la voix.

Il se déplace. Mina n'aurait pu lui asséner pire insulte. Ces hommes étudient la justice. On peut les accuser d'être violents, irréfléchis, de n'importe quoi, sauf d'être injustes. Leur combat consiste précisément à lutter contre l'injustice. Ils sont souvent incompris ; on croit que c'est une guerre contre les infidèles, contre l'incroyance. Pas du tout ! Ils se battent depuis toujours pour la justice. C'est leur étendard, ils en sont drapés.

Mina se précipite vers le chef au visage émacié, son sac à la main. Arrivée devant lui, elle le laisse tomber, comme si elle venait de se rappeler qu'elle l'avait pris alors qu'elle aurait dû le laisser dans la fourgonnette. Elle tire délibérément sur sa *dupatta* et, s'assurant qu'elle l'a bien autour du cou, se met à hurler. Elle inspire profondément et pousse un cri perçant.

20

Hayat donne un coup de pied dans la terre. Il ne veut pas que les choses en arrivent là. Le sol qu'il dérange est fatigué. Des mottes éparses qui s'effritent.

Il se rappelle l'époque, il y a longtemps, où lui et ses frères étaient enfants et où les rebelles avaient cru être sur le point de récolter les fruits de leur action, cru que l'heure avait sonné, un sentiment qui avait gagné toute la ville.

Les gens avaient anticipé un changement, un renversement des forces en présence et du destin ; mais ils avaient été battus, et pour punir leur audace, la répression avait été encore plus dure, plus brutale que jamais. Ils avaient fait profil bas, mais sans pour autant penser que la moisson était perdue. Ils n'étaient pas encore à maturité, voilà tout. La lune était impatiente, il fallait attendre que la configuration astrale soit favorable. Ils attendirent donc.

Et les insurrections se succédèrent. À chacune des batailles pour Mir Ali, l'espoir renaissait, ils attendaient le moment où ils allaient être libres.

Ce moment-là ne vint jamais. Il ne s'annonça même jamais.

L'espoir découlait juste de cette conviction qu'il devait venir, qu'il faudrait bien qu'il vienne.

Pour Inayat et ses compagnons d'armes, le chemin de la liberté était terriblement long, mais ils le suivaient, confiants. À l'aune d'un adversaire militairement supérieur, des abus de pouvoir d'un État de plus en plus puissant, sans compter qu'une bonne partie du pays ignorait tout de la situation critique qui était la leur, les pertes qu'ils subissaient ne pesaient pas si lourd que ça. Ils vivaient, rêvaient et mouraient dans l'espoir de lendemains qui chantent. Et cet espoir-là leur suffisait.

Mais pas pour Hayat. Pas pour la génération suivante qui avait vu les rêves de leurs parents se réduire comme une peau de chagrin, méthodiquement laminés par la création de cantonnements militaires de plus en plus importants où l'armée pouvait enseigner aux enfants à chanter l'hymne national, le drapeau vert et blanc du Pakistan flottant partout sur les toits et les portails. L'armée réussit à battre cette génération grâce à sa supériorité numérique, son efficacité, sa rapidité d'action. Et en incarnant tout ce que cette génération aspirait à devenir.

Ils voulaient des téléphones, des ordinateurs, l'accès au vaste monde. Les militaires étaient prêts à leur donner tout cela. Finalement, la bataille, comme certains l'avaient compris, se résumerait ainsi : ceux qui voulaient faire partie du système n'en seraient pas exclus en raison des convictions nationalistes et des codes d'honneur de leurs parents. La lutte serait redéfinie ; elle se résumerait à la durée d'attente pour que les câbles de fibre optique soient enterrés et que l'accès à Internet en soit facilité. Cette génération voulait des bourses ; les jeunes voulaient voyager pour obtenir des diplômes en gestion des affaires et participer à des colloques, travailler dans des stations-service en combinaisons orange dans les pays de la zone euro, tout, pourvu qu'ils aient une chance de mener une vie différente, qui ne soit pas soumise à des postes de contrôle, à la vérification des papiers d'identité, à la suspicion. Ils voulaient avoir la liberté d'aller à La Mecque en classe affaires.

L'armée n'avait eu qu'à patienter. Elle savait que ce n'était qu'une question de temps. Elle avait affaire à une génération paresseuse, toute de paillettes et d'effets sonores, qui démontra assez rapidement qu'elle était plus docile que ce que l'armée avait craint. À quelques exceptions près, les jeunes n'avaient aucune envie de se battre. Ils voulaient trop de choses que seul le pouvoir central était en mesure de leur donner. Certes, leurs mémoires seraient toujours imprégnées du passé, des injustices et des souffrances subies par leurs pères, mais ils les évoqueraient tranquillement, à la table familiale ou lors de dîners en ville, le tout dernier smartphone à la ceinture, avant de comparer les frais de scolarité des écoles privées de leurs rejetons.

Ils ne feraient pas de sacrifice personnel ; les rêves appartenaient aux anciens.

La liberté ne signifiait rien pour cette génération. Elle ne faisait pas le poids en regard de leur confort.

Hayat tient la main sèche de Samarra dans la sienne. Des petites taches provoquées par le froid et le manque de soins lui ont blanchi la peau autour des articulations et des jointures. Il la lui frotte rapidement.

— À chaque surenchère, la riposte est encore plus brutale.

— Ils ont toujours été brutaux avec nous, lui rappelle-t-elle, retirant sa main.

— Ils vont tuer la famille de Nasir. Si tu lui donnes le feu vert, Samarra, ils vont remonter sa trace – qu'il soit mort ou vivant – et ils vont torturer sa famille pendant des mois avant d'en faire des exemples.

Elle reste silencieuse.

— Ils n'épargneront personne. Ni ses frères et sœurs, ni ses neveux et nièces – les deux enfants de sa sœur. Tu le sais. Ils vont humilier son père avant de l'exécuter ici, dans ce parc. Tu sais ce qu'ils vont faire à sa mère, Samarra, tu le sais mieux que personne...

Elle se lève, s'éloigne de Hayat. Sa voix donne l'impression de trembler dans le froid, alors que ce n'est pas le cas. Elle est claire et ferme, au contraire, quoiqu'un peu étouffée par le sifflement de la pluie.

— Arrête.

Hayat baisse la tête. Il se rappelle sa conversation avec sa mère, ce matin dans la cuisine. Son cœur se serre ; le découragement s'empare de lui.

— Qu'est-ce qui t'arrive ? De quoi as-tu si peur ?

Hayat ne cesse de donner des coups de pied dans la terre.

— Tu ne vois rien, Samarra – on dirait que tu ne vois plus rien !

Il creuse du pied dans la terre boueuse. Il ne peut pas l'arrêter. Elle est ailleurs, tellement loin qu'elle n'arrive plus à voir au-delà de la rage qu'elle a décidé de porter, une rage folle qui fait désormais partie d'elle-même. Une rage enracinée en elle, comme c'était le cas pour Ghazan Afridi et pour Inayat, devenue un virus contre lequel Samarra n'a plus aucun moyen de lutter.

Elle regarde Hayat, attendant de voir apparaître sur son visage une expression familière. Elle ne le reconnaît pas non plus. Il a toujours été prudent, se déplaçant discrètement au cours des jours et des semaines précédant une opération, mais impatient, aussi. Bouillant d'impatience, même.

— Ils nous ont détruits.

Samarra se moque. Elle ne fait aucun effort pour dissimuler sa réaction. Sa voix est un peu sèche, non dépourvue d'une certaine dureté. Il l'entend, cette dureté, jusque dans ses sarcasmes. Hayat ne s'y arrête pas. Il feint de ne pas voir sa façon de pencher la tête et de lever les yeux vers lui, comme si elle n'avait jamais vraiment fait attention à lui jusque-là.

— Nous ne valons pas mieux qu'eux.

Mais elle ne va pas le laisser aller au bout de son idée. Samarra agite les mains à l'adresse de Hayat, comme pour lui faire signe d'arrêter, essayant de l'empêcher de s'engager dans cette voie.

— Samarra, dit-il.

Ce n'est pas une réunion qu'elle peut diriger.

— Écoute-moi, Samarra. Ils ont tué nos héros, alors nous avons cessé d'en produire.

Sa voix se brise. Elle ne le voit plus ; il sait qu'elle a déjà commencé à le museler. Alors il crie. Il crie pour surpasser le niveau sonore déjà trop élevé qu'il avait adopté pour lui parler.

— Nous avons cessé de vivre. Nous avons cessé de vivre nos vies pour prendre les leurs.

Hayat regarde Samarra.

— Nous sommes devenus comme eux.

Perturbée, Samarra se rassied sur le sol nu, sur la terre humide.

— Hayat, ça, c'était avant. Tout va changer maintenant.

Elle lui prend les mains à son tour, froides elles aussi, et les serre. Hayat regarde celles de Samarra. Elle a dû les frotter contre son pull, contre le châle d'homme qu'elle s'est négligemment jeté sur les épaules. Il ne voit plus les taches blanches toutes sèches. Il cherche son regard, son grain de beauté enchâssé dans l'iris et se demande comment elle a fait pour se réchauffer les mains.

— C'est ce qu'ils n'ont pas réussi à faire. Ils ont fait vieillir nos parents avant l'âge. Ils leur ont volé leur jeunesse et leur énergie. Ils ne leur ont pas laissé la liberté d'instaurer leurs propres règles. Nous représentons quelque chose de plus fort que ça, Hayat. Quelque chose qu'on ne peut pas briser.

Il secoue la tête.

— Brisés, nous le somme déjà, Samarra.

Samarra se lève et vérifie son téléphone, un Nokia en plastique noir dont l'écran rétroéclairé ne s'éteint jamais totalement. Elle ne réagit pas aux paroles de Hayat. Au lieu de ça, elle poursuit une conversation qu'ils n'ont jamais commencée.

— Allons-y.

Samarra appuie sur deux touches pour déverrouiller son téléphone et regarde l'heure. Nasir doit déjà être en route. Il doit se positionner avant que le cortège de voitures du gouverneur ne bloque toutes les voies d'accès, autrement dit, s'acheminer vers le lieu de la manifestation en même temps que la circulation de fin de matinée, avant que ça ne devienne une zone de haute sécurité.

Hayat enlève la terre de ses chaussures. Il ne peut pas l'arrêter. Il se demande s'il a fait tout ce qui était en son pouvoir. Il n'y a plus rien à faire hormis laisser le plan suivre son cours.

— Nous avons des choses à préparer. Nasir va bientôt attendre mon appel de l'autre côté.

Samarra remue la tête en parlant, se rassurant elle-même comme si elle cochait des items sur une liste. Elle vérifie encore une fois son téléphone. Hayat sort les clés de sa poche.

— Il est assez chargé ?

Il sait que Nasir ne bougera pas avant d'avoir le feu vert de Samarra. Elle est nerveuse, maintenant, elle a peur d'être trahie par son téléphone, que tous les éléments se liguent contre elle. Mais elle a encore trois barres affichées sur son portable. Bien assez pour passer le coup de fil dans l'heure qui va suivre.

Samarra acquiesce.

Hayat se dirige vers sa moto.

— Alors, allons-y. On a effectivement des choses à préparer.

Elle remarque qu'il s'adresse à elle par-dessus son épaule. Qu'il ne la regarde même pas.

21

Aman Erum se fraye un chemin à pied au milieu de la circulation moins dense à présent, entre les garçons à vélo et les maris pressés, soucieux de ne rien oublier des courses de dernière minute – des paquets de riz et de confiseries – dont ils ont été chargés avant la fermeture des magasins pour les prières et le week-end de l'Aïd.

Il y a plusieurs bouchers dans l'étroit bazar de Mir Ali. Au moins quatre ou cinq assis en tailleur sur des étals et des tables de bois, qui aiguisent leurs couteaux (lesquels ne sont pas très affûtés), tout en lançant des ordres aux enfants qui les aident : « Découpe-moi deux kilos de mouton » ; « Emballe un peu de graisse » ; « Prépare-moi les pieds d'agneau et les os pour la *paiya* » – à cuire lentement pendant des heures dans une sauce gélatineuse, jusqu'à ce que l'on puisse grignoter un peu de cartilage et mâchouiller à l'envi ce qui avait été une articulation ou une rotule d'animal.

Sur les tables, des têtes d'agneau d'un rose sombre, couvertes de mouches, très appréciées pour les yeux et leur côté gélatineux, pour les nerfs des joues et la moelle du nez. Leurs clients ne paraissent pas plus gênés par la nuée d'insectes qui ceignent ces têtes que par les mouches qui pondent leurs œufs dans les cavités chaudes de la face des agneaux. Rien de plus facile que de nettoyer la viande avec de l'eau chaude additionnée de citron, qui est un désinfectant naturel.

Deux des bouchers surveillent des poulets de batterie – neuf par cage, celles-ci empilées les unes sur les autres –, n'ouvrant ces cages rouillées que pour en extraire un par le cou, la plupart du temps chauve et déplumé, qu'ils dépècent en morceaux comestibles. Dans la section boucherie du marché en ce matin de l'Aïd, par conséquent, ce ne sont pas les carcasses ouvertes ni le sang brun foncé ruisselant des tables vers la rue qui attirent l'attention, mais les cris perçants des volailles enfermées. Elles ont la peau couverte de croûtes et d'égratignures à force d'avoir tenté de s'évader de leur prison de fil de fer. Elles poussent des gloussements désespérés, comme si elles pouvaient démolir la tour formée par cette superposition de cages, décoller et s'envoler dans le ciel nuageux.

Aman Erum marche donc parmi les lève-tard, tout en surveillant l'heure. Il pleut encore un peu. Cela n'a pratiquement pas cessé de toute la matinée. Là, juste avant midi, ce n'est qu'un petit crachin qui coule sur les pare-brise des voitures et les bras des hommes en *shalwar kameez* impeccablement repassés.

Il y a bien longtemps qu'Aman Erum ne s'est pas retrouvé à Mir Ali pour l'Aïd. Depuis qu'il est parti étudier à l'étranger. Quand il était revenu pour être auprès d'Inayat, dont les poumons se remplissaient de liquide, Aman Erum avait décidé de passer l'Aïd en famille ; il ne serait plus jamais absent ce jour-là. Au début, il avait pensé revenir chez lui pour les fêtes et rentrer dans le New Jersey dès que la période de deuil de son père aurait pris fin, mais sa famille avait besoin de lui. Il leur fallait une main ferme pour les guider ; l'année avait été terriblement éprouvante. De retour des États-Unis, avec ses contacts à l'étranger et ses relations locales, Aman Erum était un homme neuf. Il finirait par y retourner, après avoir mis en place certaines chaînes d'approvisionnement sur lesquelles il avait travaillé, mais d'ici là, Mir Ali serait le lieu où il passerait ses longues nuits de l'Aïd, à ratisser les marchés, et ses matinées, courbé parmi les corps de ceux qui priaient pour la nouvelle année.

Aman Erum passe devant les poulaillers et, voyant les volailles déplumées battre des ailes contre leurs cages métalliques, il se dit que si tout se passe bien aujourd'hui, il en achètera deux, parmi les plus grasses, pour les ramener à la maison.

Il demandera à sa mère de les préparer avec du beurre et de la poudre de piments rouges, des plus savoureux, ceux venant du Cachemire. Dans le New Jersey, Aman Erum allait manger ce plat dans des restaurants indiens, des gargotes où les chauffeurs de taxis et les immigrés se retrouvaient en petits comités dans une faible lumière et écoutaient des disques rayés de musique de vieux films, des chansons datant de l'époque où les productions de Bollywood étaient encore en noir et blanc.

Voyant l'heure, Aman Erum accélère le pas, mais veille à ne pas trébucher dans les flaques qui se sont formées dans les ornières et les nids-de-poule des rues non pavées de la ville. Les conducteurs de rickshaws le sollicitent d'un coup de klaxon : veut-il qu'ils l'emmènent ? Aman Erum décline leur offre d'un geste de la main, puis la place sur son cœur en signe de remerciement. L'angoisse du matin le quitte. Après tant d'années, il aperçoit le bout du tunnel. Il sera bientôt libéré de tout cela. Il n'y a pas d'autre solution. On en est arrivé là après d'âpres combats. La perspective de ce qui lui reste à faire le tourmente, mais il n'y a simplement pas d'autre solution. Quelqu'un doit faire cesser la violence et la menace permanente qu'elle exerce. Il faut une main ferme. Il n'a pas le choix.

Un des rickshaws ralentit et son conducteur penche à l'extérieur son buste couvert d'une chemise fine.

— Vous allez loin, *agha*. Vous ne voulez pas que je vous emmène ?

Aman Erum regarde la décalcomanie qui se trouve sur le toit en plastique du rickshaw : une carte géographique sciée et déchirée. « Puisse Dieu te dérober ce que tu Lui as pris. » C'est extrait d'un poème. Aman Erum saute à l'arrière où les couvre-sièges imperméables sont déchirés par l'usure.

— *Mehrabani,* le remercie Aman Erum, la main toujours sur le cœur.

Ils dépassent le bazar au moment où, dans un ensemble presque parfait, tous les volets métalliques des boutiques descendent. Plus loin, devant les taudis de la rue Haji-Abdullah-Shirazi-Khan, des cabanes délabrées appuyées les unes contre les autres comme des fourmis en quête d'espace, Aman Erum détourne les yeux. Il essaye de ne pas respirer les fumées d'échappement des véhicules qui n'avancent pas. Il tend la main pour mesurer la densité de la pluie. Il repense à Zalan et cette façon qu'il avait de tendre sa main en coupe pour recueillir les gouttes, fermant fort les yeux tout en inclinant la tête vers le ciel. Cette matinée va bientôt prendre fin. Tout va bientôt prendre fin.

Le rickshaw s'arrête juste devant la mosquée de la rue Hussain-Kamal, dont le jardin n'est pas encore jonché de ces *chappals* en plastique qu'on y jettera bientôt partout n'importe comment. Il est tôt. La congrégation du vendredi n'a pas encore commencé à arriver. Il reste un peu de temps.

Aman Erum remercie le chauffeur qui refuse son argent une première fois, puis une seconde, et descend du rickshaw. Il regarde autour de lui ; il n'y a pas beaucoup de mouvement, très peu de circulation. Un barrage routier est en train de se former à proximité.

Aman Erum se dirige vers un petit *hotal*. De longues tables de bois fendu sont disposées comme dans une cafétéria, avec des chaises en plastique bleu. Debout sur une estrade, un homme remue une grande casserole de thé qu'il sucre à pleines poignées. Un peu plus loin, devant un four à tandoori, un homme au tablier noirci en sort à mains nues des *rotays* soufflés, laissant vite tomber le pain chaud sur des assiettes en métal pour ne pas se brûler les doigts.

Aman Erum s'assied à une des tables de devant, se tenant à distance des autres clients venus prendre un petit déjeuner tardif. Des hommes serrés les uns contre les autres trempent des morceaux de pain chauds dans leur thé sucré, engloutissant rapidement cet encas avant que ne retentisse l'appel pour l'*azan* de midi.

Regardant de l'autre côté de la rue, à gauche, à droite, et ne voyant personne, Aman Erum commande une tasse de thé. Il la boit lentement, soufflant sur la couche laiteuse du dessus. Une pellicule marron clair a déjà commencé à se former sur les bords du mug en plastique fendu. Après s'être brûlé la langue, il fait signe au serveur.

— *Sa taim dey ?*

Le garçon a les traits doux des habitants de la ville frontière. Les cheveux éclaircis par le soleil et le vent, une ossature fine et fragile. Il se sèche les mains sur son *shalwar kameez* taché et incline la tête en direction d'un petit téléviseur couleur suspendu sous les néons jaunes du plafond, éteints à cette heure du jour.

— Un peu plus de 11 heures, répond le serveur, lisant l'heure du coin de l'œil.

Aman Erum regarde au-delà du serveur. *Il* n'est pas encore arrivé.

Il sort son téléphone portable et le pose sur la table, devant lui. Il compose le numéro tout en gardant un œil sur la rue. Il n'aura plus qu'à appuyer sur la touche.

11 h 39

22

Le serveur revient à la table d'Aman Erum avec un grand plateau en plastique posé en équilibre sur sa hanche osseuse. Il a une petite rougeur au menton qu'Aman Erum n'avait pas remarquée auparavant ; tellement légère qu'elle a peut-être été causée par la chaleur du four. Le serveur soulève un plat en métal chargé de *rotays* beurrés et chauds qu'il place devant Aman Erum, pliant les genoux pour éviter de heurter l'assiette. Il fait le tour de la chaise d'Aman Erum et dépose une autre assiette devant lui : du foie frit, cuisiné dans son jus et garni de tomates douces coupées en tranches fines.

— De la part du patron.

Le garçon tourne la tête en direction de l'homme assis en dessous de l'écran de quatorze pouces, qui feuillette des bouts de papier agrafés ensemble, lesquels font office de tickets de caisse écrits à la main.

— Il dit que l'*agha* mérite un petit déjeuner convenable. Qu'avec une tasse de thé seulement, vous serez affamé.

Aman Erum lève la main pour le saluer et s'apprête à se lever pour remercier le maître des lieux qui lui fait signe de rester assis en retour, brassant l'air de ses deux mains. Il se désigne lui-même, puis la table pour indiquer qu'il va le rejoindre dans les cinq minutes. Aman Erum sourit et se rassied tout en surveillant la rue, une fois de plus.

Il trempe son pain dans le jus trop liquide des morceaux de foie et le porte à sa bouche, le suçant longuement pour en savourer le goût avant de le mâcher. Il s'est à peine nourri ce matin sans se rendre compte qu'en fait il avait très faim. L'angoisse le gagne, comme lors de sa fâcheuse rencontre avec le colonel, tandis que l'aiguille des minutes se rapproche de midi.

Soudain affamé, Aman Erum engloutit les bouchées doucereuses au goût de fumée puis remarque que ses mains tremblent. Il ralentit, les posant sur la table, alors que le serveur lui apporte un peu d'eau fraîche dans un gobelet en métal. Il le prend et boit avec avidité.

Il en est malheureusement arrivé là.

Il se dit qu'il n'y a pas d'autre moyen, aucun autre moyen de se libérer du colonel, de sa douleur. Au début, il était seul à en souffrir, et puis, subitement, cela a contaminé toute sa famille. Pendant son absence, la violence s'était intensifiée. Il y avait été confronté dès son retour. Aman Erum a faim, il est fatigué mais il doit être clair sur ses intentions. Il regarde ses mains. Elles sont posées sur la table. Il soulève sa main droite ; elle est parfaitement immobile.

Depuis son retour à Mir Ali, Aman Erum a plutôt bien réussi. Bien qu'il soit rentré par obligation vis-à-vis de son père, avec dans l'idée de ne rester que le temps nécessaire, remettre à plus tard son retour aux États-Unis lui a été profitable. Il s'est fait un nom dans son business – ce qui lui vaudra des retombées financières intéressantes une fois rentré en Amérique. Il a apporté un peu de réconfort à sa famille pendant ces heures éprouvantes et il a pu de nouveau être un guide pour Hayat. Mais le fait d'être né ici, surtout sur une terre aussi sinistrée, implique de grands sacrifices.

Aman Erum imagine qu'ailleurs on n'en aurait pas exigé autant. D'après le peu qu'il sait du reste du pays, il pense qu'on y vit plutôt bien. Mir Ali paie pour le confort de ces étrangers ; il y a des années et des années que Mir Ali et son peuple en paient le prix.

— *Agha !*

Le tenancier de l'*hotal* joint les mains.

— C'est un honneur de vous recevoir chez moi.

Aman Erum s'essuie les doigts, ôtant la levure des *rotays*, et lui serre la main.

— C'est un bel endroit que vous avez, là, patron. Je serais bien venu plus tôt, mais ç'a été plutôt mouvementé à la maison ces temps-ci.

L'homme hoche la tête, compatissant.

— Bien sûr, bien sûr. Vous êtes un des piliers de notre communauté. En plus des drames que votre famille a vécus récemment, vous devez crouler sous le travail, *agha*. Nous somme ravis de vous voir et, surtout, n'hésitez pas à me dire s'il y a quelque chose que je peux faire pour vous.

Il sort un stylo de la poche de poitrine de son *shalwar kameez* et inscrit un numéro sur l'un des morceaux de papier qui ne lui servent plus de tickets de caisse.

— Je serais honoré d'envoyer quelque chose à votre famille pour l'Aïd. Demandez à ce qu'on m'appelle demain ; je tiendrai à votre disposition un colis de *kheer*[10] que vous pourrez faire chercher.

---

10. Riz au lait.

Aman Erum le remercie et demande sa note, ce qui lui est aussitôt refusé.

— Je vous en prie, vous êtes mon invité, lui dit le tenancier de l'*hotal*, offensé.

Aman Erum lui offre un grand sourire, mettant la main sur son cœur une fois de plus en signe de sincère gratitude.

Il s'essuie à nouveau les mains sur le morceau de papier que l'homme vient de lui remettre et se rassied pour boire son thé qui a à peine refroidi. Il pense à l'Aïd, au reste de la journée et à la délivrance qu'elle va lui apporter. Et là, de l'autre côté de la rue, il *le* voit arriver.

Le poids qu'Aman Erum porte depuis ce matin pèse lourd sur ses épaules. Son cœur s'emballe, il bat si fort qu'il étouffe les bruits de l'*hotal*. Il n'entend plus ni la monnaie sur le comptoir, ni le raclement des *rotays* que l'on sort du four, ni le thé que l'on verse sans cesse dans les tasses. Tout est silencieux. *Il* est là ; *ils* sont arrivés.

Aman Erum prend son téléphone portable et appuie sur la touche verte.

23

Le chef taliban tient son arme entre Mina et lui, désespérant de pouvoir maintenir une barrière entre eux, mais elle le bourre de coups quand même, hurlant, sans se soucier de la kalachnikov qu'il tient pour se protéger.

— *Zalim ! Der zalim aye ! Bey insaf !*

Elle lance toutes les insultes qu'elle connaît pour parler de ce que ces hommes ont fait. Elle hurle en martelant de ses poings la poitrine musclée du taliban.

— *Khaza*... Femme.

Il tente de l'arrêter, de lui rappeler qui elle est, où ils se trouvent, mais rien ne peut atteindre Mina à cet instant. Le khôl qui lui soulignait les yeux a pratiquement disparu dans les pleurs qui accompagnent ses paroles.

— C'étaient vous, ce sont vos hommes, vos hommes qui nous l'ont enlevé. Il n'avait rien fait. Il avait à peine commencé à vivre. Il portait ses chaussures jusqu'à ce que ses orteils en touchent le bout, il grandissait trop vite pour s'en rendre compte. Il avait des ampoules. Je les ai vues. J'y ai déposé un baiser, sur chaque orteil, quand je suis allée le reconnaître. Vous n'avez donc pas honte ? Honte devant les mères dont vous avez volé les enfants ?

Les talibans se taisent, pas un bruit.

Celui qui est posté à l'avant du véhicule soulève un sourcil en direction de l'homme que Mina a bousculé. Son *shalwar kameez* est couvert de pluie et de boue. Il se relève, gêné, et se tape sur les cuisses pour tenter de se nettoyer, comme si la propreté pouvait effacer sa chute. Mais il ne peut pas voir à quel point il s'est sali. Il a de la boue jusqu'aux oreilles. Il se frotte furieusement, aussi vivement qu'il s'est remis debout.

Elle est folle. C'est ce qu'ils se disent d'un regard. Cette femme est dérangée. Laissons-la hurler, on la maîtrisera quand elle se sera épuisée. Le taliban au visage émacié recule pour s'éloigner de Mina. Ne voulant pas le lâcher, elle fait un pas en avant.

Sikandar n'avait même pas entendu le bruit de la poignée de la portière au moment où Mina était sortie de la fourgonnette. Il n'avait perçu que les grognements de l'homme qui l'avait saisi par les cheveux pour le plaquer contre le dossier de son siège. Pendant ces quelques secondes, il n'avait pas entendu que Mina l'avait laissé, à peine entendu son cri, s'imaginant même l'avoir poussé lui-même. Quand le chef le libéra, relâchant sa prise aussi brutalement qu'il l'avait empoigné, Sikandar s'affaissa et remercia Dieu avec trop d'empressement, trop d'espoir, pensant avoir été épargné. Il se tourna vers le siège de sa femme qui était vide et, en se retournant de nouveau, vit qu'il n'y avait plus de garde devant sa portière. Quand il se rendit compte de ce qui arrivait, quand il comprit que ce n'était pas lui qui avait crié et que le bruit venait de l'extérieur, Mina, en pleurs, était déjà en train de hurler quelque chose au sujet de leur fils.

— Mina, murmure-t-il depuis son siège, qu'est-ce que tu fais, Mina ?

Elle l'entend. Elle se retourne vers Sikandar, furieuse, les yeux noirs de rage. Au même instant, Sikandar capte le regard du taliban. Ils se comprennent. Ils la regardent comme si elle était contagieuse, comme s'ils n'avaient aucune responsabilité dans ce qui a provoqué son délire. À la manière dont elle répond au pauvre chauffeur, les talibans savent qu'ils ont affaire à une femme dérangée. Elle est hystérique, il ne servirait à rien de réagir. Les talibans patientent donc, parfaitement immobiles, pendant que Mina, telle une furie, frappe et griffe la poitrine du chef.

— C'était un samedi, il était venu voir son père.

Mina se tourne du côté de Sikandar, tendant les bras vers lui. Libérant le taliban de son étreinte une seconde, Mina se retourne et s'adresse à son mari comme si les mots lui écorchaient la gorge.

Sikandar sent les larmes lui monter aux yeux.

— Mina, murmure-t-il une fois encore, ne leur dis rien, Mina.

— Il venait depuis qu'il était petit, il allait voir les infirmières qui passaient toujours un moment avec lui et l'emmenaient prendre une glace pendant leur pause. Il n'avait pas école ce jour-là, alors il était allé voir son père.

Mina force tellement sa voix qu'elle se brise.

— Vous vous en fichiez. Vous vous fichiez bien de qui était là. Vous n'avez pas pensé un instant aux enfants.

Le taliban au visage émacié en a assez entendu. Il tient maintenant sa kalachnikov à deux mains comme un bouclier et s'en sert pour repousser Mina.

— *Chap sha !*

Il élève la voix pour couvrir celle de Mina. Elle trébuche, un pied heurtant l'autre sous la force du coup. Elle en perd sa sandale droite.

— Tais-toi. Nous sommes les protecteurs de cette région, les sauveurs du Waziristan – qu'est-ce que vous aviez avant nous ? Rien ! Vous viviez comme des bêtes, vous aviez peur de tout, sauf de Dieu. Tais-toi et remonte en voiture avant que je te tue, toi et ton mécréant de chauffeur.

Il la repousse à nouveau avec son arme, la frappant aux épaules pour la deuxième fois. Mina attrape son fusil d'assaut ; elle l'attrape et le retourne contre le taliban.

— *Beghairat*[11] *!* hurle-t-elle. Vous avez attaqué cet hôpital – vous rappelez-vous seulement son nom ?

Elle a perdu ses deux sandales à présent.

— Vous avez attaqué l'hôpital public Hasan-Faraz. C'est son nom. Vous avez attaqué cet hôpital – pourquoi ? Les journaux ont dit que c'était à cause de son nom, du fait qu'il tirait ses ressources de l'État, du Pakistan et de l'armée. Vous avez envoyé vos hommes, vos zombies armés de lance-roquettes pour le détruire parce que vous pensiez que les soldats de cette armée y étaient soignés. Mais vous ne connaissez rien à rien, espèces de salauds – vous ne savez rien de Mir Ali. Vous n'aviez pas de barbe au menton, pas encore appris à lire le Coran que nous combattions déjà ces hommes. Vous n'avez pas pensé à leurs victimes qui étaient traitées dans cet hôpital, hein ?

Les talibans demeurent pantois. Ils se regardent avec nervosité. Celui qui était tombé ouvre la bouche pour protester contre cet affront à leur endoctrinement, ne

11. Insulte signifiant « sans honneur » en ourdou.

serait-ce que pour effacer celui qu'il vient de subir, qui n'est pas très glorieux, mais il s'est à peine éclairci la gorge que Mina se tourne vers lui :

— Tais-toi ! hurle-t-elle en pleurant. Je ne veux pas t'entendre.

Il fait un pas en arrière sans dire un mot.

Sikandar soulève ses jambes, qui sont comme des poids morts sous lui, et sort de la fourgonnette. Il ne bouscule personne, se dirige droit vers Mina. Elle n'est plus entourée par les talibans. Ils se sont tous éloignés d'elle. Le chef fait signe à ses hommes de se replier. Mais c'est elle, maintenant, qui ne les lâche pas. Elle tourne autour d'eux.

Les rebelles avaient lancé leurs roquettes sur le théâtre des opérations pendant qu'un autre homme était resté près de l'entrée. Après l'explosion, les survivants s'étaient rués hors de l'hôpital pour fuir le bâtiment démoli.

— Vous les avez vus courir pour sauver leur vie ? crie Mina, les pieds glissant dans la boue.

Quand ceux qui pouvaient encore marcher, qui avaient encore des jambes, avaient tenté de fuir, le taliban qui bloquait l'entrée de l'hôpital était sorti de la voiture et avait fait sauter les charges explosives stockées dans le coffre. Mina connaît ces faits ; elle connaît tous les détails du déroulement de l'attaque, du début jusqu'à la fin. Elle a lu les témoignages des survivants dans la presse. Elle découpait tous les articles parus dans les journaux, en ourdou, en pachtoune, en anglais. Elle glanait tout ce qu'elle pouvait trouver sur cette attaque de l'hôpital ; ça tournait à l'obsession. Des mois après, elle cherchait encore une information, un fait éclairant. Mina mettait en pièces tous les journaux qui lui tombaient sous la main. Elle passait des heures à lire les pages sportives, à haute voix, chaque mot. Elle allait même jusqu'à essayer de trouver des indices dans les horoscopes.

— Au premier (Mina sent qu'elle a du mal à respirer), au premier homme qui courait pour sauver sa vie, vous avez déclenché l'explosion.

Le chef se redresse. Il sait de quelle attaque il s'agit. Mina le voit, elle s'en rend compte et, alors que Sikandar s'approche pour lui entourer les épaules et l'entraîner vers la fourgonnette, elle prend une grande inspiration, puis expire en un cri douloureux :

— Ah, vous voyez ! Vous savez très bien de quoi je parle. Je le vois dans vos yeux, que vous le savez.

Sikandar tente d'entraîner Mina mais elle refuse de bouger. Le taliban s'adoucit, laisse retomber son arme de côté.

— C'est la guerre...

Il tente de finir sa phrase, mais les mots restent coincés dans sa gorge.

— C'est la guerre...

Mina n'a plus de force en elle. Ses muscles se relâchent, elle a le visage défait, le teint livide, exsangue.

— Ça n'était pas sa guerre. Zalan n'avait pas pris parti dans cette guerre.

Mina parle autrement au taliban, à présent. Elle a cessé de hurler, ou de crier. Elle ne le menace plus avec ses poings, épuisée qu'elle est par la violence de sa colère. La pluie tombe doucement, comme pour ne pas la déranger.

— Il est mort dans l'intervalle. On a retrouvé son corps dans le parking. Il était encore vivant. Ceux qui ont survécu disent qu'il était encore vivant, qu'il respirait encore. Mais personne n'est venu à son secours. Les médecins étaient occupés à extraire les gens des décombres des salles d'opération. Ils les déplaçaient vers le parking, et puis la voiture a explosé. Après ça, ils ont dû les ramener à l'intérieur, ils se sont dispersés dans l'ensemble hospitalier en flammes pour porter secours aux survivants.

Le corps de Mina se soulève comme si chaque mot était une souffrance.

Sikandar avait cherché Zalan partout où l'hôpital n'avait pas été complètement détruit. Il avait vu les décombres du parking par les fenêtres, alors qu'il courait d'une salle à l'autre, explorant les cages d'escalier pleines de fumée et les zones d'urgence bondées où un maximum de gens s'étaient concentrés.

Mais il ne pensait pas que Zalan, le petit Zalan apeuré, se trouverait à l'extérieur, sur le parking, là où les dommages avaient été les plus sévères. Sikandar espérait toujours, contre tout espoir, qu'il était à l'intérieur de l'hôpital. Des médecins l'avaient attiré dans les zones où s'effectuait le tri des victimes, lui ordonnant de se mettre immédiatement à traiter les blessés, mais Sikandar les avait repoussés, allant même jusqu'à enlever sa blouse pour que les gens cessent de le tirer par la manche dans l'espoir de se faire aider. Ayant franchi les obstacles à toute allure, il s'était retrouvé devant l'entrée de l'hôpital.

Debout, face à la longue allée, il avait compté les corps alignés devant lui. Deux, six, onze, quinze. Dix-huit, vingt, vingt-trois.

Il n'entendait plus les cris.

Vingt-quatre, vingt-neuf, trente.

À trente-trois, il avait vu les Bubblegummers.

À trente-trois, Sikandar avait vu les baskets et s'était dirigé vers les clignotants qui passaient du rouge au bleu. Puis il n'avait plus rien vu d'autre. Zalan avait geint, demandé de l'aide, dirent les survivants, mais il ne respirait déjà plus qu'à peine quand son père était arrivé auprès de lui.

Par terre, sur le sol du parking, tenant la tête de son fils contre son corps, Sikandar avait essayé de le soulever tout en faisant attention à ne pas lui faire mal. Zalan était si petit. Ses membres pendaient de son petit corps comme des ficelles. Sikandar ne pouvait pas le regarder. Il ne pouvait pas voir ce qui était arrivé à son fils. Il avait mis toute son énergie à le soulever, mais ne s'était pas rendu compte qu'il était tombé, lui aussi. Il avait désespérément lutté jusqu'au moment où, l'ayant vu, une des infirmières était accourue pour l'aider. Cette infirmière avait appelé une autre femme, un médecin, qui avait soulevé Zalan, le dégageant des bras de son père, et s'était ruée à l'intérieur de l'hôpital avec lui. L'infirmière avait dit à Sikandar que le Dr Saffiyeh était très compétente. C'était leur meilleur chirurgien pédiatre et elle ferait tout ce qui était en son pouvoir pour sauver Zalan.

Mais on était en guerre.

Tout ce qui était en son pouvoir s'était tout simplement révélé insuffisant.

— Je suis venue réclamer son corps, dit Mina pour elle-même. Je suis venue réclamer ce qui restait de lui.

Sikandar ouvre la portière et aide Mina à s'asseoir. Il la referme et fait le tour de la fourgonnette par l'arrière, à l'écart des talibans, puis, une fois au volant, il met le contact.

Le chef lève sa kalachnikov et tire en l'air cependant que la fourgonnette de l'hôpital public Hasan-Faraz passe devant eux pour s'engager dans la forêt.

24

L'hélicoptère du gouverneur va bientôt atterrir sur la base militaire. Les routes menant à Mir Ali ne sont pas sûres et il a été déconseillé à cet invité de marque de venir en voiture. Personne ne peut garantir sa sécurité dans les airs non plus – à peine trois semaines plus tôt, l'aéroport Miran-Shah a été le théâtre d'une violente attaque. Des hommes armés ont encerclé le petit aéroport et tiré sur les avions en stationnement, visant les commandos en tenue de camouflage bleu clair et blanc placés près des hangars. C'était sans doute à cause d'eux que l'attaque avait eu lieu : il avait été question de réparations de matériel militaire qui seraient effectuées sur place par ces commandos de techniciens en tenue pastel. Il avait fallu deux jours et demi pour venir à bout des tireurs rebelles.

« Appelons un chat un chat », entonna le gouverneur à la conférence de presse qu'il réunit pour aborder le sujet de cette ignoble attaque terroriste. « Nous combattons des éléments qui s'en prennent précisément à ceux qui suent sang et eau pour défendre leurs droits et leurs libertés démocratiques. Nous ne céderons pas aux terroristes. Ils sont jaloux de nos valeurs. »

Quand le gouverneur aura atterri, il sortira de l'hélicoptère et posera pour permettre à la presse impatiente de prendre des photos. Il est entendu qu'il se dirigera ensuite vers les quatre cents recrues rassemblées, serrera des mains, épinglera quelques médailles sur des poitrines photogéniques sélectionnées à l'avance, avant de monter sur le podium pour prononcer un discours d'incorporation très attendu à l'adresse des soi-disant rebelles que l'armée nationale accueillait en son sein.

Pour conclure cette cérémonie d'incorporation, le gouverneur a prévu un moment avec les journalistes, dans le but de répondre à des questions et de faire une dernière déclaration. Nasir sera là, une caméra en main, pour remplacer un cameraman qui devait venir de la capitale mais n'est jamais arrivé. Aujourd'hui, tous les journalistes viennent d'ailleurs – aucun organe de presse locale n'est parvenu à franchir le barrage de sécurité – mais Nasir s'est imposé à la dernière minute. Il a une carte d'identité de Peshawar et sa présence sera cautionnée par la chaîne principale dont le présentateur est incapable de s'occuper du dispositif technique tout en rendant compte du déroulement de la journée. Ce reporter doit être vu des téléspectateurs, le face-à-face est impératif. D'où le cameraman de substitution.

Nasir a sans doute déjà eu l'autorisation d'entrer. Il doit être dans la file des journalistes qui attendent l'atterrissage de l'hélicoptère.

Hayat a les mains serrées sur le guidon, la droite sur l'accélérateur, poussant le caoutchouc sous sa paume. Samarra le tient par la taille, aussi proche qu'avant. Il lui est souvent arrivé de glisser ses mains dans les poches de

Hayat pour se réchauffer, tout en se tenant à lui. Mais aujourd'hui, non, bien qu'elle ait la joue posée sur son épaule.

Il est fatigué.

Hayat est tellement fatigué. Il est arc-bouté face au vent et ferme les yeux aux feux de circulation pour pouvoir s'imaginer que cette journée et toutes celles qui suivront sont déjà derrière lui, qu'elles ne laisseront pas d'empreinte sur lui.

Il voudrait en avoir fini. Ce sentiment-là n'est pas nouveau. Même s'il n'a atteint son paroxysme que tout récemment. Hayat a grandi sans avenir. Cela lui a été refusé ; personne ne parlait jamais de ce qu'il allait devenir ni de la voie qui allait s'offrir à lui. Il a été élevé dans le passé – n'a que des souvenirs, aucun droit à l'imagination. Son enfance s'est déroulée sur les genoux d'un père qui lui parlait des torts du passé, des injustices du passé, des erreurs du passé. Il n'y avait pas de futur, ni pour Hayat, ni pour quiconque à Mir Ali, tant qu'il n'y aurait pas eu réparation de ce passé.

Et la seule façon de réparer était de sacrifier tout ce qui était à venir.

Hayat en a assez de se sacrifier et de vivre parmi les fantômes de l'histoire. Il a grandi à l'ombre de leur triste tutelle et, jusqu'à une période récente, jusqu'à ce qu'Aman Erum rentre des États-Unis avec un avenir dans ses bagages, rien d'autre, Hayat n'avait pas eu conscience de la somme de sacrifices qu'il avait si aveuglément consentis.

Aman Erum avait balayé tous les obstacles. Il avait tiré un trait sur toutes ces morts qui avaient endeuillé sa famille pour passer à autre chose. Il n'avait vu que les possibilités qui s'offraient à lui de se lancer dans de nouvelles entreprises. Rien, à Mir Ali, n'était exclu de ses perspectives de développement. Il accueillait les amis du défunt avec des poignées de main compatissantes et des cartes de visite professionnelles – pas d'interruption pour les obsèques. Rien ne l'arrêtait, jamais. Ni les naissances ni les décès. Hayat avait compris que l'avenir reposait sur une dynamique, que les idées, le commerce, les marchandises, le monde entier et tout ce qui le constituait étaient en perpétuel mouvement, et qu'il fallait bouger, changer. Tout le contraire de sa propre situation. Il était bloqué dans son évolution par une injustice immuable. Une injustice qui l'avait empêché de voler de ses propres ailes, de voir tout ce qui s'offrait à lui.

Hayat occupait l'espace autrefois occupé par son père. Celui que son grand-père avait occupé avant lui et même celui que Ghazan Afridi n'avait pas eu le temps d'occuper. Hayat s'était enterré à côté d'eux. Pendant toutes ces années, il était resté à leurs côtés, sans jamais les quitter.

Hayat avait donné sa vie à Mir Ali avant même d'avoir eu le choix. Il pensa à Zalan et baissa la tête pour ne pas pleurer. Pas maintenant, pas ici. Zalan n'avait pas donné sa vie. On la lui avait prise. Il y avait eu trop de souffrance, trop de morts. Hayat fit le bilan de sa vie, comptant les jours et les mois qu'il lui avait fallu pour en arriver là. Il avait laissé passer trop de temps. Il allait mettre un terme à tout cela aujourd'hui.

Ce serait leur plus gros coup.

Hayat ne se sentait pas prêt ; il ne s'était senti prêt à aucun moment au cours de ces semaines, de ces mois de préparation. Il y avait des jours qu'il ne dormait plus, qu'il ne rêvait plus. Hayat ferma les yeux à cause du vent. Il n'avait pas d'autre choix que de suivre le plan établi pour la journée.

Samarra bouge derrière lui. Elle déplace son bracelet sur son bras, le glissant sous sa manche comme si lui aussi avait besoin de chaleur. Malgré ses efforts, elle ne parvient pas à se concentrer sur le minutage qu'elle a en tête.

Le calme hivernal des rues de Mir Ali d'habitude encombrées de piétons et de petits véhicules lui fournit quelques distractions. Il n'y a pas de marchands de fruits vendant des pommes rafraîchies dans de l'eau glacée. Il est trop tôt pour l'homme qui fait griller le maïs sur un puits de sable, extrait les grains à l'aide de son ongle et les jette dans le *lokhay*, presse le jus d'un citron vert dessus et les assaisonne de poudre de piments rouges, bien que, dans cette région montagneuse, on ne soit pas très amateur de plats trop relevés. Il y a peu de femmes dans les rues en cette fin de matinée ; elles sont toutes en train de préparer l'Aïd – d'habiller les enfants, de leur tresser les cheveux et de leur peindre le bout des doigts et la paume des mains avec du henné pendant que les plus âgées font la cuisine pour le repas du jour.

Samarra pense à sa mère, certainement penchée sur le fourneau à cette heure, à remuer son agneau qu'elle aura saupoudré de trop de poivre noir. Samarra sourit. Elle relève la tête du dos de Hayat, souhaitant qu'il la regarde. C'est trop dur de lui parler par-dessus le bruit de la moto. Elle aimerait qu'il la rassure.

Samarra repense au fait que son téléphone n'est pas assez chargé. Elle se demande si Nasir a réussi à enregistrer la déclaration qu'il a préparée, en se servant de cette même caméra qui va lui donner accès à la conférence de presse du gouverneur. S'ils l'ont fouillé en profondeur, y compris les poches de son impressionnant et volumineux sac à caméra, il est probablement déjà mort.

Le gouverneur doit être en train de prononcer son discours d'accueil.

Les mesures de sécurité mises en place à Mir Ali sont draconiennes, mais elles ont toutes été assouplies pour la presse. Avec plus de quatre-vingt-dix chaînes de télévision, chacune rivalisant pour l'emporter en termes d'audience nationale, les journalistes trouvent rarement porte close pour leurs caméras et leurs micros.

Nasir a dû passer au travers d'une fouille superficielle. On l'aura sans doute palpé et on lui aura demandé de mettre son portefeuille et ses clés dans un panier en plastique pendant qu'un agent de police accablé aura aussi palpé son sac à caméra avant de lui faire signe d'y aller.

Il reste juste assez de batterie dans le téléphone de Samarra. Elle passera l'appel dans une vingtaine de minutes. Elle rentre un peu plus son bracelet dans sa manche. La tresse métallique brise un bouton de jasmin et lui fait une écorchure. Ils approchent. Ils n'ont jamais été aussi préparés, aussi prêts.

Mais quelque chose ne va pas. Samarra le sent dans ses tripes.

MIDI

25

Hayat gare la moto à côté de la mosquée dont la porte est grande ouverte pour laisser passer les hommes qui se présentent, se tenant par la main comme souvent dans ces régions, se souhaitant mutuellement un joyeux Aïd.

Il met pied à terre, sort la béquille pour stabiliser la moto. Comme le moteur tourne toujours, une fumée qui sent le caoutchouc brûlé s'échappe du pot. Il garde les mains sur les poignées.

Je suis désolé, se dit-il à lui-même.

— Pardonne-moi. (Cela, il le murmure à son père.) Aucun de nous ne peut être libre.

Hayat lève la tête et regarde de l'autre côté de la rue. Il *le* voit. Hayat opine de la tête en signe de confirmation. Oui, elle est là.

Samarra est assise sur la selle passager de la moto, un pied sur le cale-pied, l'autre posé par terre pour l'équilibre. Elle sort son téléphone.

— Je rappelle dans dix minutes, dit-elle. Il a eu le message. Il est là-bas. Il attend juste la confirmation. Ils doivent avoir reçu l'avertissement. Ils auront déjà imprimé la télécopie. Ce sera la panique pendant cinq minutes, après ça ils se calmeront et ils se demanderont si la menace est sérieuse. Cinq minutes de plus, et ils riront de s'être affolés aussi vite. Et le temps que quelqu'un ayant un peu d'autorité réalise que la menace émanait de nous, qu'il doive en référer à ses supérieurs, il sera trop tard.

Hayat reste silencieux, tête courbée.

Samarra se méprend sur son attitude. Elle croit que Hayat l'écoute. Qu'il est dans son rôle, qu'il réfléchit à ce qu'elle vient de dire.

— Ils n'auront même rien vu venir, lance-t-elle.

Hayat descend de sa moto et monte sur le trottoir en ciment défoncé, à peine surélevé par rapport à la rue pleine de cailloux et de nids-de-poule. Il y a aussi des palmiers par ici. Les palmiers poussent très haut à Mir Ali. Hayat regarde le paysage qui l'entoure. La mosquée y compris, tout est uniformément gris. Des maisons de plain-pied, non peintes, dont le ciment a séché, mal entretenues. Des petits commerces, des serveurs d'*hotal* agitant des assiettes en métal au-dessus de grandes marmites de nourriture brûlante, des rues autrefois pavées, puis dépavées par des machines et des hommes.

Les palmiers donnent des dattes petites et ratatinées. Elles ne sont pas très sucrées, mais dures et résistantes sous la dent. En été, on coupe les fruits, encore pendus aux branches jaunes, et on en fait de la pâte. Mais là, en hiver, les palmiers, qui sont nus et maigres comme ceux d'Arabie, paraissent déplacés.

Hayat comprend qu'il lui reste peu de temps.

— Samarra.

Il lui parle, mais elle voit qu'il n'arrive toujours pas à la regarder.

— Je fais un saut au coin de la rue une minute. Ne bouge pas. Reste où tu es, garde la tête baissée. La foule va bientôt grossir, dès que les hommes vont commencer à arriver pour...

Elle l'interrompt.

— Où vas-tu ?

— Ils ne vont pas appeler pour la prière d'*azan* avant la demie.

Il veut juste finir ce qu'il a à dire.

— Ils arrivent tôt, pour cacher leurs sandales et s'installer à l'arrière pour pouvoir bavarder quand le mollah commencera son prêche. Samarra ?

— Oui, Hayat *jan*.

Elle est la seule personne à l'appeler ainsi après son père.

Il pense au roi insatiable qui vit seul au sommet de la montagne parce que celle-ci a déjà été pillée et que tous ses diamants ont été emportés. Il pense à cette histoire que son père interrompait toujours, laissant le fakir en rade sur sa falaise, suspendu indéfiniment. Et l'espace d'un instant, Hayat voudrait être le fakir.

Regardant autour de lui pour s'assurer qu'ils sont toujours seuls, Hayat se penche en avant vers Samarra et lui prend le visage entre ses mains. Il l'embrasse sur les paupières, s'attardant sur celle qui protège l'œil au grain de beauté.

— Hayat *jan* ?

Samarra regarde autour d'elle pour voir si quelqu'un l'a vu l'embrasser, mais le temps qu'elle se retourne, Hayat a déjà commencé à traverser la rue. Elle le voit faire une courte pause sur ses talons, le temps de laisser passer la circulation, puis disparaître dans une ruelle à peine visible sous les nuages bas de Mir Ali en ce matin pluvieux.

26

— Allô !

— *Salam, grana*. Qu'est-ce que je peux faire pour toi ? C'est un honneur pour moi d'avoir deux fois de tes nouvelles aujourd'hui, pour l'Aïd.

Aman Erum tient le téléphone à son oreille tout en surveillant la rue.

— Avez-vous reçu un fax, colonel ?

Le colonel ne répond pas. Aman Erum l'entend souffler dans le combiné. La respiration est bruyante, pénible.

— Il a été envoyé par une femme que vous connaissez, je crois. Vous avez dû la rencontrer une fois. Il n'y a pas si longtemps.

Aman Erum entend un froissement de papiers. Il tourne le dos à la rue. Il ne veut pas la regarder.

— Elle est là, je la vois.

— C'est une blague, *grana* ? Tu me la livres ?

— Elle a la clé, dit lentement Aman Erum. Pas moi. J'en ai fini. Pour moi, c'est le dernier acte.

Le colonel recule son siège. On entend comme un raclement, quelqu'un qui se lève. Le son d'autres voix dans la pièce. Le joli crissement du cuir des rangers sang de bœuf, le claquement rapide de portes que l'on ferme. Une imprimante crache du papier, peut-être même une photo. Quelqu'un communique avec une voiture par radio. Aman Erum entend le colonel qui bascule le téléphone sur haut-parleur.

— Tu te trompes, *grana*.

— Est-ce que le fax indiquait l'identité de la cible ?

Le colonel se tait à nouveau.

27

Sikandar conduit doucement sur la route bordée de branchages et de troncs d'arbres abattus et fendus qui s'ouvrent comme des artichauts, traverse des clairières de terre brûlée, à l'abandon.

Les dégâts subis par la fourgonnette sont minimes. Quelques rayures sont venues s'ajouter aux bosses et aux éraflures d'origine, c'est tout. La vitre de son côté est brisée – c'est le dommage le plus évident. Des petits éclats de verre brillent sur le siège avant. Il actionne les pédales de la fourgonnette, les jambes flageolantes.

Son *shalwar kameez* est trempé. Ici, dans la forêt, la bruine de la ville tombe plus fort. Les routes se font plus étroites, l'air y est plus pur. Sikandar est mouillé de pluie et de peur. Mais il est en vie. Ils ont survécu.

Les pins sentent fort vers la fin de l'hiver. Une odeur qui se répand partout dans l'air, la montagne, la forêt. C'est devenu comme une caractéristique de cette belle cité tribale, patrie depuis des lustres de milliers de personnes et de saints hommes, d'essences divine ou princière. Mais ce n'est pas un royaume ; ni le bastion d'un quelconque empire. Ça ne l'a jamais été. Même il y a des siècles, lorsque les avatars bouddhistes et les princes parcouraient les pistes boueuses des forêts d'ici, c'était déjà le pays d'hommes ordinaires.

Des pêcheurs assis sur les bords de ruisseaux peu profonds, leurs *shalwar kameez* roulés aux genoux, y remontaient leurs prises. C'était la terre de ces hommes-là.

C'était une terre de voyageurs et de bûcherons, de ceux qui vouaient un culte aux racines de leurs géants tutélaires, ce qui ne les empêchait pas de les débiter pour les vendre. Les marchands de bois fabriquaient des porte-clés, des plaques, des horloges avec des chiffres métalliques enfoncés dans l'écorce. Leur commerce a fini par être déconsidéré, et il est vrai que ces objets étaient grossiers. Mais ils n'étaient alors que de simples bûcherons.

Les temps changent, la forêt s'éclaircit. L'odeur de pin est devenue si familière qu'on n'y fait plus attention ; quant aux hommes, ils vont et viennent, quittent leur village pour aller à la ville, pour mieux gagner leur vie. Que pourraient-ils bien faire de plus en restant chez eux ?

Ils n'auront rien vu venir de ce qui se préparait, rien du tout.

Sikandar regarde Mina qui bat des cils, comme si elle rêvait. Ses lèvres prononcent des prières secrètes, des incantations visant, selon les cas, à lui donner courage ou maîtrise de soi. Elle a fait preuve de l'un et de l'autre, se dit Sikandar. Et tout en roulant sur les routes sinueuses des forêts de Mir Ali, une petite pluie tombant sur son pare-brise, il entend le *tap tap tap* des graines de tamarin.

Remerciements

J'adresse mes remerciements à :

Carl Bromley pour son rôle de maïeuticien et en tant qu'ami incomparable.

Suhail Sethi pour le pachtoune et nos voyages dans le Nord.

Sabeen Jatoi pour sa constance.

Ghinwa Bhutto à tout jamais pour son amour.

Zulfikar Ali Bhutto, mon plus fidèle soutien.

Mir Ali Bhutto, mon Mir Ali, qui est à la fois notre frère et meilleur ami.

David Godwin pour m'avoir dit un jour : « Tu devrais écrire... »

Sophie Hackford, Allegra Donn et Ortensia Visconti pour leur amitié. Ma fidélité leur est acquise, à tout jamais.

Adrian Gill pour ses encouragements opiniâtres, *hongee.*

Amanda Urban et Karolina Sutton pour leur confiance et les risques qu'elles ont pris.

Mary Mount pour son enthousiasme, sa patience et son œil exercé.

Ma chère Higgs pour toute son aide et ses MMS de réconfort au moment où j'en avais le plus besoin.

À Baba, mon père, pour ce livre. Il est à toi. Comme son titre et mon cœur. Sous de nombreuses formes, vie après vie, à tous les âges.

Les Escales

Jeffrey Archer
Seul l'avenir le dira
Les Fautes de nos pères

Jenna Blum
Les Chasseurs de tornades

Chris Carter
Le Prix de la peur

Olga Grjasnowa
Le Russe aime les bouleaux

Titania Hardie
La Maison du vent

Cécile Harel
En attendant que les beaux jours reviennent

Casey Hill
Tabou

Victoria Hislop
L'Île des oubliés
Le Fil des souvenirs

Yves Hughes
Éclats de voix

Peter de Jonge
Meurtre sur l'Avenue B

Gregorio León
L'Ultime Secret de Frida K.

Amanda Lind
Le Testament de Francy

Sarah McCoy
Un goût de cannelle et d'espoir

Owen Matthews
Moscou Babylone

David Messager
Article 122-1

Derek B. Miller
Dans la peau de Sheldon Horowitz

Fernando Monacelli
Naufragés

Juan Jacinto Muñoz Rengel
Le Tueur hypocondriaque

Ismet Prcić
California Dream

Paola Predicatori
Mon hiver à Zéroland

Paolo Roversi
La Ville rouge

Eugen Ruge
Quand la lumière décline

Amy Sackville
Là est la danse

William Shaw
Du sang sur Abbey Road

Anna Shevchenko
L'Ultime Partie

Liad Shoham
Tel-Aviv Suspects
Terminus Tel-Aviv

Priscille Sibley
Poussières d'étoiles

Alison Waines
Les Noyées de la Tamise

RÉALISATION : NORD COMPO À VILLENEUVE-D'ASCQ

CET OUVRAGE
A ÉTÉ ACHEVÉ D'IMPRIMER
SUR ROTO-PAGE
PAR L'IMPRIMERIE FLOCH
À MAYENNE EN JANVIER 2014

N° d'impression : 86250
D.L. : février 2014
Imprimé en France